O LÍDER ALFA

CARO LEITOR,

Queremos saber sua opinião sobre nossos livros.

Após a leitura, curta-nos no facebook/editoragentebr, siga-nos no Twitter@EditoraGente e visite-nos no site www.editoragente.com.br. Cadastre-se e contribua com sugestões, críticas ou elogios.

Boa leitura!

RENATO GRINBERG

O LÍDER ALFA

Desenvolva o instinto da liderança
e forme equipes de alta performance

Gerente Editorial
Marília Chaves

Assistente Editorial
Carolina Pererira da Rocha

Produção Editorial
Rosângela de Araujo Pinheiro Barbosa

Controle de Produção
Fábio Esteves

Preparação de Texto
Entrelinhas Editorial

Projeto Gráfico
Neide Siqueira

Editoração
Join Bureau

Revisão
Vero Verbo Serviços Editoriais

Capa
Ronaldo Alves

Imagem de Capa
Barbaroses/Shutterstock

Impressão
Rettec Gráfica

Copyright © 2014 by Renato Grinberg
Todos os direitos desta edição são
reservados à Editora Gente.
Rua Pedro Soares de Almeida, 114
São Paulo, SP – CEP 05029-030
Telefone: (11) 3670-2500
Site: http://www.editoragente.com.br
E-mail: gente@editoragente.com.br

Dados Internacionais de Catalogação na Publicação (CIP)
(Câmara Brasileira do Livro, SP, Brasil)

Grinberg, Renato
    O líder alfa : desenvolva o instinto da liderança e forme
equipes de alta performance / Renato Grinberg. – 1. ed. – São
Paulo : Editora Gente, 2014.

    Bibliografia.
    ISBN 978-85-7312-977-9

    1. Administração de empresas 2. Equipes no local de trabalho
– Desenvolvimento 3. Instinto 4. Liderança 5. Líderes 6. Sucesso
profissional I. Título.

14-07625   CDD-658.4092

Índices para catálogo sistemático:

1. Liderança organizacional : Administração   658.4092

Dedico este livro aos meus pais, Roberto e Ira Grinberg, que me deram as primeiras lições de liderança.

À minha querida esposa, Dani, que me ajuda todos os dias a me tornar um líder melhor, e às minhas filhas, Isabela e Mariana, que me proporcionam a melhor experiência de liderança do mundo – a de ser pai.

Agradeço a todos aqueles que, de uma maneira ou de outra, me ajudaram a desenvolver e cultivar o "instinto da liderança". Em especial a: Lourença Barbosa, Ricardo Grinberg, Elisabete Bernardo, Sidney Bernardo, Joel Ferreira, Rosely Boschini, Ricardo Shinyashiki, Roberto Shinyashiki, Helder Eugênio, Danyelle Sakugawa, Rosângela Barbosa, Marília Chaves, César Souza, Alexandre Slivnik, Moises Swirski e a todos os meus colegas da BTS.

Sumário

Prefácio 11

Apresentação 17

Introdução

A decisão de ser um líder 25

Capítulo 1

Os pseudolíderes.. 33

Capítulo 2

Pense como um líder...................................... 57

Capítulo 3

Comunique-se com precisão 73

10 O líder alfa

Capítulo 4

Aja como um líder 107

Capítulo 5

Execução é o X da questão.. 113

Capítulo 6

Expanda sua liderança... 129

Capítulo 7

Adaptabilidade: uma clara vantagem competitiva ... 145

Capítulo 8

Seja um líder 161

Capítulo 9

Generosidade: o verdadeiro instinto da liderança ... 181

Bibliografia 189

Prefácio

O benefício de quem escreve o prefácio é poder ler o livro antes dos outros. É o prazer de descobrir primeiro. Renato conversa com seu leitor ensinando conceitos, contando histórias, opinando e convidando à reflexão. Ele se torna cúmplice do leitor, por que coloca a si mesmo, a própria vivência como parte do relato. A leitura foi um prazer. Você termina e diz: vou começar de novo, tem tanta coisa que preciso aprender a cuidar.

Renato inclui e soma. Os conceitos dos principais autores e pesquisadores de liderança vêm vivos nas histórias, nos relatos de atitudes de líderes e de sua vivência.

O livro é uma jornada em busca da essência da liderança.

14   O líder alfa

O desenvolvimento da liderança tem sido um desafio e um aprendizado permanente na minha jornada pessoal como educador e empresário. Meu primeiro encontro com Renato, mesmo sem muitas apresentações, começou com um debate sobre como criar equipes de alto desempenho. E, acho que foi por isso que Renato me honrou com o convite para escrever este prefácio.

A vida é um esporte coletivo. Muitos levam anos para aprender isso.

Vivemos e nos realizamos em equipes. O líder da equipe é aquele que escolheu cuidar dos demais e do objetivo coletivo. Pensa no outro antes de pensar em si próprio. E se realiza pela realização dos seus liderados e da equipe.

Renato nos fala do papel do líder. Para um educador, o principal papel do líder é acreditar no liderado: oferecer o desafio certo, acompanhar e impulsionar para que desenvolva seu potencial.

Quando o líder inclui alguém na sua equipe é porque decidiu que vai se dedicar a esse alguém. Vai saber o que ele pensa e o que sente. Se você quiser conquistar corações e mentes, vai precisar liderar tanto com o coração, quanto com a cabeça.

Prefácio **15**

A motivação no trabalho em equipe não vem apenas de estar fazendo o que gostamos. Vem, principalmente, de estar junto com pessoas de que gostamos. Só gostamos de quem conhecemos. Renato aponta que sem sinceridade não há liderança, nem a possibilidade de criar equipes que façam a diferença.

O ambiente de trabalho não é um lugar fácil de falar a verdade, de maneira simples e clara. Onde existe hierarquia, o desempenho de um vai ser avaliado por outro. Isso, por si só, já cria dificuldades para o diálogo objetivo e sincero.

O livro provoca o leitor a se perguntar: Como quer liderar? Quer ter um diálogo claro e honesto? Quer sinceramente saber o que está dando certo e o que está dando errado? Você quer saber quando falhou? Vai reagir com raiva ou com gratidão quando alguém apontar os seus erros? E separa o verdadeiro líder do "pseudolíder".

O verdadeiro líder se reconhece pela coerência entre a palavra e a ação. Entretanto, a integridade do líder não está no pacto com os liderados. Está no pacto que faz consigo mesmo.

A liderança é um meio, não é um fim em si mesmo. As equipes só persistem enquanto estão engajadas com uma causa maior e superior aos interesses de cada um dos seus integrantes. Os líderes de sucesso se adaptam às circunstâncias, têm coragem de mudar os caminhos, mas *são inflexíveis na sua determinação pela causa e pelos* resultados almejados. O valor de um líder é medido pelo quanto avançou em direção aos resultados.

Vivemos num mundo com carência de líderes verdadeiros. Este livro ajudará o leitor a descobrir a liderança dentro de si. Dessa maneira, o livro contribui com a educação de novas gerações de melhores líderes que farão a diferença para criar um mundo melhor. Não vamos resolver novos problemas com velhas soluções.

Moises Swirski

Sócio-executivo da MSW CAPITAL com carreira de professor e empresário. A MSW atua como *advisor* na estruturação, avaliação de negócios e em processos de M&A. Na área de educação, a MSW atua na formação em Finanças e Investimentos e em programas *in company* de desenvolvimento de empresários. Cofundador do COPPEAD/ UFRJ e do PDG EXEC

Apresentação

Talvez liderança seja o assunto mais discutido e pesquisado tanto no mundo corporativo quanto na esfera sociopolítica. Novas teorias a respeito das competências necessárias para um profissional desenvolver sua liderança surgem a todo instante com o intuito de fornecer um mapa para quem quer se tornar um grande líder. Entretanto, será que essa habilidade é algo inato ou ela pode ser desenvolvida? Essa pergunta é, provavelmente, tão frequente quanto as pesquisas sobre o tema. E, em geral, ela se apresenta quando uma organização se depara com a inexorável necessidade de desenvolver a liderança atual e futura da empresa.

Depois de ter assistido a dezenas de palestras, lido centenas de livros e artigos, feito diversos cursos em respeitadas instituições e com grandes mestres como John Kotter, John

20 O líder alfa

Maxwell e David Ulrich, ter escrito dois livros e dezenas de artigos, inclusive para o site da prestigiada *Harvard Business Review Brasil*, e contar com vinte anos de experiência prática em liderança, desde minha época de músico, liderando bandas, até minha experiência corporativa, liderando equipes, departamentos e organizações, posso dizer, sem falsa modéstia, que tenho bagagem suficiente para emitir opinião relevante sobre essa questão...

Caro leitor, minha opinião é de que... eu também *não tenho certeza*!

Antes de fechar este livro com desdém e ir até a livraria mais próxima para pedir seu dinheiro de volta, permita-me elaborar melhor a minha conclusão. Na verdade, não estou certo sobre se a liderança é uma habilidade inata. Lendo diversas fontes de informação, em alguns momentos chego à conclusão de que até pode ser, mas, honestamente, tanto faz, pois deduzi que essa questão é irrelevante.

Tenho plena convicção do seguinte: *qualquer* habilidade humana é passível de ser desenvolvida ou melhorada, pelo menos até certo nível. Há uma frase no mundo de recrutamento e seleção que diz: "Você pode contratar um peru e ensiná-lo a subir em uma árvore, mas é muito mais fácil contratar um macaco!". Embora seja absolutamente verdadeira, essa frase admite de maneira implícita

Apresentação **21**

que, hipoteticamente, seria possível desenvolver habilidades em um cenário tão extremo como no caso de um peru subir em uma árvore.

Analisando melhor essa frase, eu diria que o peru terá mais chances de subir na árvore do que o macaco, se ele, o peru, estiver mais determinado do que o macaco a subir nessa árvore.

Voltando para a questão do líder especificamente, uma das poucas certezas que tenho é de que a excelência em liderança é fundamental para gerar não só empresas mais produtivas, rentáveis e duradouras, mas também para construirmos uma sociedade mais civilizada, sustentável e, principalmente, mais adaptada aos inúmeros desafios de lidar com uma população de 7 bilhões de pessoas – que, de acordo com um relatório da Organização das Nações Unidas (ONU) de junho de 2013, deve chegar a 9,6 bilhões em 2050. Adaptando uma das célebres frases de John Maxwell, acredito piamente que "tudo prospera ou padece de acordo com a liderança".

Provavelmente nunca chegaremos a ser líderes tão relevantes para o mundo como foram Martin Luther King, Nelson Mandela ou Mahatma Gandhi. Ou ainda nunca chegaremos perto da magnitude de líderes empresariais como Jack Welch, Bill Gates ou Jorge Paulo Lemann. Eles

22   O líder alfa

podem ter sido, ou ainda são, verdadeiros "líderes inatos". Podemos, porém, ser os *melhores* líderes possíveis.

O slogan do exército norte-americano que busca recrutar jovens para seguir a carreira militar (nos Estados Unidos, alistar-se no exército não é obrigatório como no Brasil) exemplifica o que quero dizer aqui: "*Be all you can be*", algo como, "Seja tudo o que você pode ser". Em outras palavras, não sabemos quão grandes líderes podemos nos tornar, mas podemos fazer tudo o que estiver ao nosso alcance para nos tornarmos os melhores líderes possíveis e isso se aplica à liderança em todas as áreas da vida.

Esse tem sido o norte do meu trabalho como executivo, empresário, professor, autor e palestrante. Nos meus livros anteriores, *A estratégia do olho de tigre* (Gente, 2011) e *O instinto do sucesso* (Gente, 2013), detive-me no desenvolvimento profissional e na busca da excelência e da alta *performance* de cada indivíduo, o que obviamente também se refere à liderança.

Neste novo livro, porém, eu me concentrarei na busca da excelência e da alta *performance* como líder, mais uma vez fazendo uma analogia com o mundo natural e apresentando conceitos de liderança que também podem ser observados na natureza.

Demonstrações das principais competências de um líder, em sua essência mais básica, fazem parte da realidade de muitas espécies do reino animal. Por exemplo, de acordo com o doutor Rick Johnson, fundador da consultoria CEO Strategist, em uma matilha de lobos o macho alfa muitas vezes exerce uma liderança compartilhada com a fêmea alfa e outros membros da matilha. Em geral, seis ou sete lobos são "encorajados" a se desenvolver e estar preparados para assumir a posição de líder, caso haja necessidade. Ocasionalmente, o líder *de facto* da matilha permite que outro lobo assuma a liderança por um tempo.

Ou ainda, ao contrário da maioria das espécies do reino animal em que o líder tipicamente é o mais forte, no mundo dos elefantes é a matriarca, em geral a fêmea mais velha, a líder da manada. Ela não exerce a liderança com base na força física, mas sim na criação de um ambiente colaborativo em que todos os membros da manada cuidam uns dos outros, sem deixar para trás um único elefante, mesmo que esteja doente ou com dificuldades para se locomover. No nosso mundo, essa maneira de liderar estaria mais próxima de um líder que inspira os outros a segui-lo em vez de usar a autoridade formal.

Após esta leitura você também poderá desenvolver o que chamo de "instinto da liderança" e estará mais bem preparado para se tornar um verdadeiro líder. Também estará

24 O líder alfa

mais equipado para reconhecer e evitar os erros mais comuns que atrapalham o caminho de qualquer líder, como:

- falta de visão de longo prazo, o imediatismo;

- comunicação infrequente e imprecisa;

- inabilidade de inspirar os liderados para atingirem um objetivo em comum;

- subestimação da importância da execução... não "arregaçar as mangas";

- microgerenciamento e falta de desenvolvimento de sua equipe;

- inflexibilidade, inadaptabilidade e acomodação;

- falta de propósito claro, de uma missão.

Não importa se a pessoa é um líder *com* ou *sem* título, de um simples condomínio de apartamentos ou de uma corporação multibilionária, se ela exerce sua função com excelência, efetividade e integridade, esteja certo de que possui ou *desenvolveu* o instinto da liderança. No decorrer deste livro, você também entenderá como desenvolver esse "instinto" para ser capaz de liderar em qualquer situação ou ambiente.

Introdução

A decisão de ser um líder

Mais um dia terminava e a solução para aquele grande desafio que se apresentava a sua frente ainda não estava clara. Ele sabia que não tinha mais muito tempo e que logo deveria tomar uma decisão. A questão que mais o preocupava é que essa decisão não só ia impactá-lo, mas todos os seus seguidores. Eles poderiam ter a vida drasticamente alterada para sempre, caso o plano de ação não obtivesse o resultado esperado. O que fazer?

Em alguns momentos surgia uma vontade de literalmente sair correndo e deixar aquela situação para trás em uma tentativa de se livrar do problema. Infelizmente, isso não era possível. Talvez, então, delegar a questão para que outro pudesse decidir?

Também não era viável, pois todos olhavam para ele como o único ser capaz de tomar aquela decisão... a esperança de seus liderados em se salvarem daquela situação era o mais forte aliado deles naquele momento. Sem a esperança de que seu líder pudesse conduzi-los à vitória, não adiantaria nem mesmo tentar, pois seus destinos já teriam sido definidos da pior maneira possível.

O que fazer? O que fazer? De um lado, a ação que parecia mais viável para solucionar a questão, com certeza, resultaria no sacrifício de alguns, talvez de muitos. De outro lado, esperar mais para que uma solução mais adequada aparecesse poderia significar o sacrifício de todos. O que fazer? Movido por um rigoroso senso de responsabilidade, considerar sacrificar qualquer um dos seus liderados era algo inadmissível para ele. Seria o seu atestado de fracasso como líder. Mas... não havia mais tempo. A decisão e a ação quase imediata teriam de ser tomadas nesse momento ou o pior aconteceria.

Ciente de sua posição de líder, fez um movimento impensável, atirou-se à frente dos inimigos formando uma espécie de escudo entre aqueles que os atacavam e os seus seguidores, que conseguiam, assim, fazer a travessia daquele caminho que os levaria para um lugar seguro. Infelizmente, ele não conseguiu realizar a travessia, porém cumpriu sua missão, pois todos os seus seguidores estavam sãos e salvos graças ao seu ato de coragem e generosidade e de sua demonstração de verdadeira liderança.

Essa história pode representar a saga de um macho ou de uma fêmea alfa que se sacrifica para salvar seu bando da perseguição de predadores. Ou a jornada de um general do exército que coloca a segurança de seu pelotão acima da própria vida. Ou de um bombeiro que, sem opções, arrisca a própria vida para salvar pessoas que nem conhece. Ou até mesmo a luta de um CEO que tenta evitar demissões e, em um ato de coragem, decide reduzir o próprio salário e seu bônus, a fim de cortar custos e comunicar ao conselho de acionistas que colocará o cargo à disposição, caso não concordem com sua estratégia de recuperar a lucratividade da empresa sem demitir funcionários.

Acredito que você, leitor, achará que as três primeiras versões são plausíveis, mas a quarta versão – um CEO abaixar o próprio salário ou colocar seu cargo à disposição visando o bem dos funcionários – talvez seja demais para você.

Real e infelizmente, são casos raros, mas na história do mundo corporativo existem registros que podem nos remeter

30 O líder alfa

a essa ideia. Em 1929-1930, o Japão vivia uma grande crise em função do colapso da bolsa de valores norte-americana que abalou o mundo. Enquanto as empresas japonesas demitiam os funcionários para cortar custos e se adaptar à crise, um empresário japonês, Konosuke Matsushita, fundador da Panasonic, desafiou a sabedoria convencional e se recusou a despedir sequer um dos seus funcionários. Em vez disso, passou a trabalhar mais e pediu o apoio de seus funcionários para que conseguissem superar a crise.

Como já não havia mais tanto trabalho na fábrica, Matsushita pediu aos seus funcionários que trabalhassem meio período na fábrica e na outra parte do dia saíssem às ruas para ajudar a vender os produtos da empresa. Mesmo assim, os trabalhadores da Panasonic continuaram a receber seus salários integralmente. O resultado? Superaram a crise e a empresa se tornou uma das maiores do mundo.

O mais importante aqui é reconhecer que o exercício da liderança muitas vezes requer sacrifícios significativos. Como foi muito difundido nos anos 1990, o verdadeiro líder é aquele que *serve* aos outros e não aquele que se serve de seus liderados. Lembra-se do que o tio de Peter Parker lhe fala no antológico filme do *Homem Aranha*? "Com grande poder vem grande responsabilidade..." Pense nisso.

Espero que esta reflexão o inspire a seguir essa jornada de desenvolvimento do seu instinto de liderança a fim de se tornar o melhor líder possível. Nas próximas páginas apresentarei mais detalhadamente como atingir esse objetivo.

Capítulo 1

Os pseudolíderes

Durante sua trajetória profissional, provavelmente você já se deparou com chefes que, em vez de extrair o melhor de seu time, fazem o oposto:

- humilham e diminuem as pessoas para que eles se sintam maiores;

- fazem perguntas para as quais já sabem a resposta com a intenção de parecer mais inteligentes e testar seus subordinados;

- focam sempre algum defeito em qualquer tarefa que alguém lhes apresente;

- recorrem constantemente a sua autoridade formal para ser respeitados;

36 O líder alfa

- criam ambientes em que a pressão e o estresse são constantes e insuportáveis;

- falam muito... mas não dizem nada;

- não sabem escutar.

Esses profissionais podem até ser extremamente inteligentes e muito capazes em sua área de expertise (fato que normalmente os alça a posições de liderança), porém são péssimos líderes. Eu chamo esses profissionais de *pseudolíderes*. No livro *Multiplicadores: como os bons líderes valorizam você* (Rocco, 2011), a autora, Liz Wiseman, chama esses profissionais de *diminishers* (diminuidores). Enquanto os verdadeiros líderes, ou segundo a terminologia de Wiseman – os *multipliers* –, dizem frases como: "As pessoas da minha equipe são inteligentes... elas saberão realizar o projeto", os pseudolíderes, ou diminuidores, dizem frases como: "Eles jamais conseguirão realizar esse projeto sem mim". Eles precisam se sentir no controle de tudo e por isso microgerenciam e centralizam todas as decisões neles mesmos. Os pseudolíderes não contribuem com o desenvolvimento de seus subordinados para que possam tomar as próprias decisões com responsabilidade e autonomia e, portanto, evoluir na carreira.

Em minha trajetória profissional, tive o desprazer de conviver com pelo menos dois profissionais que caracterizavam perfeitamente a descrição de pseudolíderes, e, se existe uma "escala" de pseudoliderança, esses dois indivíduos estavam muito próximos do grau máximo! Um deles foi meu chefe e o outro foi meu parceiro em uma das empresas em que trabalhei. Os dois eram muito inteligentes e capazes, mas, no quesito de liderar pessoas, eram um verdadeiro desastre.

Apesar do sofrimento de ter vivido no reino de terror daquele que foi meu chefe e do desprazer de ter convivido com aquele que foi meu parceiro, aprendi importantes lições com essas experiências. Portanto, toda vez que reconheço um desses comportamentos em mim, uma luz vermelha se acende e todos os alarmes antipseudoliderança soam, assim, logo procuro alterar o rumo das minhas ações.

Em nossas trajetórias como líderes, inevitavelmente cometeremos erros como esses em um momento ou outro. Quando isso ocorre, é fundamental que estejamos atentos para corrigir nossas ações imediatamente. A seguir, apresentarei as sete características mais comuns da pseudoliderança para que possa reconhecê-las e evitá-las, ou corrigir suas ações, caso reconheça alguma delas em você.

Imediatismo

Para atingir status e reconhecimento, alguns profissionais colocam em risco o bem-estar dos membros da equipe e os interesses da própria empresa no médio e no longo prazos. Nesse contexto, o imediatismo está conectado ao egoísmo desses líderes. Impor para a equipe jornadas de trabalho mais longas para atingir metas que parecem inatingíveis pode até trazer o retorno financeiro imediato, porém a que preço?

Se a saúde dos membros da equipe está em risco – pela falta de sono adequado, por refeições muito rápidas e falta de exercícios físicos –, as metas até podem ser atingidas, mas como estarão esses funcionários em cinco ou dez anos? Muitos sairão da empresa depois de reconhecer que esse tipo de vida não é sustentável, o que produzirá altos gastos para repor esses talentos. Quem permanecer acabará com a saúde fragilizada, o que também acarretará mais custos para a empresa em virtude do absentismo. Quem permanecer e não tiver problemas de saúde muito provavelmente se tornará um pseudolíder e o ciclo vicioso continuará até que a empresa entre em dificuldades financeiras que a levará a repensar suas práticas de gestão.

Quando isso ocorrer, algumas empresas ainda terão condições de rechaçar esse modelo perverso de liderança e implementar práticas sustentáveis para reverter a situação

em médio e longo prazos, porém, para outras empresas...
será tarde demais.

Comunicação infrequente e imprecisa

A comunicação infrequente e imprecisa é um grande problema para empresas de todos os tamanhos. Muitas vezes, partimos do pressuposto de que, se algo foi falado em uma reunião ou comunicado por e-mail, a missão de comunicar essa informação foi cumprida. Esse é um grande erro, pois a comunicação, para ser efetiva, tem de considerar o receptor, e só quando *este* capta a informação é que a missão foi cumprida.

Estudiosos são unânimes em afirmar que empresas comunicam muito menos do que o necessário para propagar informações sobre novas estratégias, mudanças significativas que serão implementadas etc. Não é à toa que, para uma boa apresentação, os norte-americanos têm uma regra: "Tell 'em what you're going to say, say it, and then tell 'em what you said". Em português a tradução fica um pouco estranha, mas seria algo como: Conte o que vai falar, fale e conte o que você acabou de falar.

Contudo, a quantidade de vezes que se comunica algo é apenas parte da equação. A precisão com que se faz essa comunicação é fundamental para a efetividade da comunicação. A precisão na comunicação falada é atingida com clareza, emprego adequado de pausas, entonação apropriada, linguagem corporal e adaptação da linguagem à audiência.

Outra regra de ouro, que vem dos músicos de jazz é: "Menos é mais". Na comunicação escrita ocorre o mesmo. Nesse caso, obviamente a diferença é que é preciso ter atenção a outros quesitos como ortografia e pontuação. Vejamos na frase a seguir um clássico exemplo de como a mesma informação pode ser comunicada de maneiras diferentes, alterando-se completamente o sentido. Nesse caso, o único elemento diferenciador é a pontuação.

"Deixo meus bens à minha irmã não a meu sobrinho jamais será paga a conta do padeiro nada dou aos pobres."

Nesse caso temos quatro concorrentes à herança: a irmã, o sobrinho, o padeiro e os pobres.

O sobrinho fez a seguinte pontuação:

Deixo meus bens à minha irmã? Não! A meu sobrinho. Jamais será paga a conta do padeiro. Nada dou aos pobres.

Os pseudolíderes **41**

A irmã, discordando do sobrinho, pontuou a frase assim:

Deixo meus bens à minha irmã. Não a meu sobrinho. Jamais será paga a conta do padeiro. Nada dou aos pobres.

O padeiro pediu a cópia original do testamento e pontuou desta maneira:

Deixo meus bens à minha irmã? Não! A meu sobrinho? Jamais! Será paga a conta do padeiro. Nada dou aos pobres.

Finalmente, foi a vez de um ancião que cuidava do orfanato da cidade fazer a sua versão da pontuação.

Deixo meus bens à minha irmã? Não! A meu sobrinho? Jamais! Será paga a conta do padeiro? Nada. Dou aos pobres.

Essa história pode parecer folclórica, mas a verdade é que a quantidade de problemas que ocorrem todos os dias em organizações no mundo todo por questões de comunicação é real e imensurável. Os pseudolíderes contribuem de maneira significativa para esses problemas de comunicação, pois, focando a si próprios, negligenciam que a comunicação efetiva só é atingida quando seu receptor entende a mensagem. Para isso, é necessário que o líder, além de saber falar, tenha desenvolvido também a valiosa capacidade de *ouvir*.

Inabilidade de inspirar

Um pseudolíder clássico não consegue inspirar sua equipe, seja porque não se preocupa com isso, seja porque quando tenta fazê-lo se posiciona como o centro das atenções em vez de focar as necessidades dos membros de sua equipe. Não acredito que seja possível realmente "*motivar*" alguém, mas, sem dúvida, é possível inspirar as pessoas para que se automotivem. Esses pseudolíderes aparentemente só conseguem "motivar" seus subordinados por meio de ameaças: "Se você não executar essa tarefa perderá seu bônus ou alguma oportunidade de promoção". Ou por meio de incentivos: "Faça isto ou aquilo e você receberá um aumento de salário, um bônus no final do ano ou algo assim". Será que o subordinado ficará realmente motivado nesses cenários? Bem, ele poderá se mexer para atingir a expectativa do chefe, mas sempre precisará de algo externo para se "motivar" e, portanto, esse tipo de motivação não é sustentável. Explorarei mais a fundo esse tema no Capítulo 3.

Subestimar a importância de execução

Os pseudolíderes gostam muito de falar em estratégias ou planejamento estratégico, porém, quando o assunto é executar essas estratégias, já não se mostram tão interessados, pois consideram a execução algo "menor". Obviamente, um planejamento estratégico bem-feito ou a definição de uma estratégia vencedora são elementos fundamentais para o sucesso de qualquer empresa e tarefa fundamental para um líder, entretanto, mesmo excelentes estratégias falham por problemas de execução. Larry Bossidy, ex-CEO da AlliedSignal, em seu best-seller *Execução: a disciplina para atingir resultados*, declarou: "Estratégias fracassam na maioria das vezes porque não são bem executadas". Em outras palavras, a melhor ideia do mundo não será bem-sucedida sem uma boa execução e, às vezes, uma ideia simples, mas bem executada, poderá ir muito longe.

Uma ideia simples de 2 bilhões de reais

Carlos teve uma ideia simples. Dar aulas de inglês à noite para ganhar uma renda extra. Ele tinha algumas ideias inovadoras em relação ao aprendizado da língua e começou a perceber que seu método produzia resultados concretos, pois seus alunos estavam realmente aprendendo a falar

44 O líder alfa

inglês. Executando bem o plano de dar aulas de inglês para complementar a renda, começou a ganhar mais alunos até abrir a própria escola.

Então, veio outra ideia simples: "Vou abrir uma franquia de escolas de inglês usando o método que desenvolvi." Já existiam outras franquias de idiomas, então a ideia não era nada revolucionária. Abriu uma, duas, três, dez, vinte franquias até ter uma vasta rede de centenas de franquias. E veio outra ideia simples: "Vou comprar uma rede de franquias de ensino profissionalizante para ampliar minha atuação no ramo de educação." Bom, daí para a frente, Carlos, mais conhecido como Carlos "Wizard" Martins, criou um império no ramo de educação que ele vendeu para o grupo Pearson em 2013, por aproximadamente 2 bilhões de reais.

Ele teve alguma ideia mirabolante, revolucionária? Não. Ele desenvolveu um método excelente para ensinar o idioma inglês e *executou* seu método de maneira primorosa. A execução excepcional de suas ideias tornou Carlos "Wizard" Martins um dos maiores empresários do Brasil.

Mais uma ideia simples de alguns bilhões de dólares

Em 1982, Howard, que na época tinha 29 anos, trabalhava em uma empresa sueca de utensílios de cozinha.

Os pseudolíderes **45**

Certo dia decidiu visitar um cliente em Seattle que tinha uma enorme demanda para máquinas de coar café. Ao entrar na loja, percebeu que parecia um templo para adoração ao café. Encantado com o ambiente e o excelente sabor do café oferecido, começou a conversar com os donos da empresa sobre seu interesse em trabalhar lá. A conversa avançou e Howard pediu demissão da Hammarplast para ingressar na nova empresa como diretor de operações de varejo e marketing.

A partir daí, o rumo daquela empresa e da vida de Howard começou a mudar. O cliente que Howard tinha ido visitar e que agora era seu novo empregador era a empresa Starbucks.

Durante uma viagem de negócios à Itália, Howard Schultz visitou os conceituados bares de café *espresso* de Milão. Impressionado com a popularidade e a cultura desses lugares, ele enxergou o mesmo potencial em Seattle. Ao retornar, sugeriu aos sócios da Starbucks que vendessem café e *espressos*, além de grãos. Os donos da Starbucks rejeitaram a ideia, por acreditarem que isso mudaria drasticamente o foco da empresa, pois para eles café era algo que deveria ser feito em casa.

Schultz estava convencido de que, se servisse um excelente café com a elegância e o estilo italianos, poderia contar que as pessoas retornassem diariamente, e assim

46   O líder alfa

fundou o Il Giornale, em 1985. E, como provou a história, Howard estava certo. Depois de provar os *lattes* e *mochas*, a clientela de Seattle rapidamente se tornou aficionada por café.

O sucesso foi tão grande que em 1987 Schultz comprou a cadeia Starbucks e deixou de usar a marca do Il Giornale. A demanda por cafés de alta qualidade permitiu à Starbucks expandir suas fronteiras além dos limites de Seattle, primeiro dentro dos Estados Unidos e depois no exterior. A empresa abriu suas primeiras lojas fora de Seattle em Chicago e em Vancouver, no Canadá.

Em 1996, a empresa resolveu ser mais agressiva em seu plano de expansão, inaugurando lojas no Havaí, em Cingapura e no Japão. No mesmo ano, a companhia aérea United Airlines começou a servir o café da marca em seus voos. Aproximadamente 80 milhões de pessoas voavam todos os anos pela United, e entre 25% e 40% delas pediam café. Tratava-se de um mercado potencial de pelo menos 20 milhões de pessoas por ano, muitas das quais estariam provando o café Starbucks pela primeira vez.

Depois da Ásia, a empresa ingressaria no Oriente Médio em 1999, na Europa em 2001 e na América Latina em 2002. Além dos excelentes cafés e bebidas à base de *espresso*, a Starbucks começou a oferecer chás e bebidas batidas com gelo.

A história da Starbucks é uma das mais notáveis do mundo dos negócios nas últimas décadas. Hoje o café da empresa não está presente somente nas lojas; ele é encontrado em companhias aéreas, navios de cruzeiros, hotéis, livrarias, supermercados e na internet (*delivery*).

A marca Starbucks está avaliada em 3,6 bilhões de dólares, ocupando a quarta posição no ranking das marcas mais influentes do planeta. Howard Schultz teve uma ideia simples. Trazer o conceito que viu funcionar na Itália para os Estados Unidos. Provavelmente outros, antes e depois de Howard, tiveram a mesma ideia, porém a execução primorosa do seu plano é que tornou a Starbucks uma das empresas mais admiradas do mundo.

A síndrome do microgerenciador

O microgerenciador parte do princípio de que os membros da sua equipe não conseguem desempenhar um bom trabalho se ele não estiver envolvido em cada etapa do projeto. Em vez de passar orientações gerais para as pequenas tarefas e concentrar a energia nas questões mais relevantes de um projeto, o microgerenciador monitora e acompanha cada passo e cada detalhe do projeto.

Esse comportamento demonstra ausência de confiança nas habilidades dos membros da equipe, o que

48 O líder alfa

normalmente está ligado à própria falta de competência para desenvolver pessoas. O microgerenciador não se contenta com o bom resultado do trabalho de alguém da equipe, pois a maneira de executar uma tarefa tem de ser igualzinha a sua maneira de fazer.

Os efeitos nocivos do microgerenciamento são logo aparentes na motivação e no engajamento dos funcionários, que começam a perder o interesse pelo trabalho, param de dar sugestões e finalmente saem da empresa ou se transformam em verdadeiros "zumbis corporativos".

Marco possuía incrível atenção para detalhes. Além disso, sua formação em engenharia em uma das melhores universidades do país e a mente extremamente analítica contribuíram para que logo se destacasse no começo da carreira em uma grande empresa de bens de consumo.

Com o consistente alto desempenho que Marco apresentava, não demorou muito para conseguir sua primeira promoção. Mais alguns anos e diversos projetos bem-sucedidos depois, seu gestor o indicou para uma posição de liderança. Agora, além da promoção para um cargo mais elevado, pela primeira vez teria uma equipe para gerenciar.

Marco tinha à sua frente uma excelente oportunidade para se provar como líder e embarcar em uma jornada que poderia alçá-lo aos cargos mais altos da empresa.

Os pseudolíderes **49**

No entanto, apesar de Marco ser muito competente no que fazia como um especialista, sua capacidade de liderança ainda não havia sido testada. Agora, em sua nova posição, essa era a competência mais importante para o sucesso do seu trabalho, pois lideraria uma equipe de cinco pessoas.

Apesar de todos os membros da sua equipe serem profissionais altamente qualificados, Marco, na verdade, não confiava na capacidade deles e por isso sempre acompanhava de perto cada etapa dos projetos. Quando algo não estava sendo executado da maneira que esperava, pedia que a pessoa refizesse a tarefa e explicava detalhadamente como deveria desempenhar aquela função. Marco esperava que seus subordinados fossem clones seus e não respeitava o estilo individual de trabalho.

Não demorou muito para os primeiros problemas aparecerem. Paulo, um dos membros mais experientes do grupo, irritou-se com uma intervenção e conversou abertamente com Marco sobre sua inabilidade de delegar de maneira apropriada. Falou também sobre como não só ele, mas todos os outros membros da equipe estavam desconfortáveis com o nível de microgerenciamento que Marco exercia.

Marco lhe disse: "Muito bem, Paulo, não vou mais microgerenciar. Basta trazer para minha aprovação cada tarefa finalizada antes de passar adiante. Se, porém, eu não

50 O líder alfa

aprovar a tarefa finalizada terá de refazer tudo desde o começo". Paulo, mesmo descontente com a resposta, tentou fazer da "nova maneira". No entanto, logo percebeu que a mentalidade de Marco continuava a mesma. Cada tarefa que ele levava para aprovação voltava com tantos comentários sobre detalhes irrelevantes, que na verdade era mais fácil retornar à "maneira antiga".

Como Paulo era um funcionário respeitado na empresa, usou a influência para conseguir uma transferência para outra unidade de negócio. Agora, com menos membros na equipe, Marco passou a monitorar ainda mais de perto o trabalho de cada um. Em certa ocasião, Ricardo, outro funcionário, não aguentando mais aquela situação, tentou conversar com Marco para que parasse com o microgerenciamento. Contudo, a resposta de Marco foi: "Muito bem, Ricardo, não vou mais microgerenciar. Basta trazer para minha aprovação cada tarefa finalizada antes de passar adiante. Se, porém, eu não aprovar a tarefa finalizada você terá de refazer tudo desde o começo".

Ricardo, um otimista inveterado, achou que talvez as coisas pudessem melhorar dessa maneira. Entretanto, depois da terceira tarefa que teve de refazer porque não estava nos moldes de Marco, sua paciência chegou ao limite e ele aceitou a oferta de uma empresa concorrente que há algum tempo o sondava.

Os pseudolíderes **51**

Marco praticamente não tinha mais vida fora do trabalho, pois, com seu estilo microgerenciador, passava muitas horas envolvido nos detalhes dos projetos, que, na verdade, eram responsabilidade de seus subordinados. Os outros três integrantes da equipe também já estavam bastante sobrecarregados. Jonas e Bruno, que eram os mais jovens da turma, pensaram que, se conversassem juntos com Marco, talvez conseguissem convencê-lo a lhes dar mais autonomia e parar com o microgerenciamento.

Marco os recebeu em sua sala e, depois de ouvi-los, disse: "Muito bem, Jonas e Marco, então basta que vocês...". Bem, estou certo de que você já sabe o que ele disse! Jonas e Bruno, esperando o mesmo que ocorreu com seus colegas, pediram demissão ali mesmo.

Antes que Júlio, o último integrante da equipe de Marco, também saísse da empresa, Roberto, o chefe de Marco, chamou-o para uma conversa a fim de entender o que estava acontecendo com a equipe. Marco explicou detalhadamente o motivo da saída de cada um e pediu a ajuda de Roberto para contratar novos funcionários. Roberto, depois de ouvir atentamente, disse: "Marco, você faz 'tão bem' o trabalho dos outros que, na verdade, não precisa de membros na sua equipe. Você pode fazer tudo sozinho. O único problema é que, na sua função atual, eu precisava de alguém que liderasse uma equipe, pois você

52 O líder alfa

talvez consiga fazer o trabalho de quatro ou até cinco pessoas, mas tenho certeza de que não conseguirá fazer o trabalho de cem pessoas e, portanto, terei de transferi-lo para sua antiga posição".

Para saber se você sofre da síndrome do microgerenciador, considere as seguintes perguntas:

1. Você passa mais tempo explicando aos membros da sua equipe *como* eles devem fazer o trabalho do que *o que* eles devem fazer?

2. Você passa mais tempo revisando as tarefas que delegou para seus funcionários do que pensando em como melhorar os resultados da sua área?

3. Você fica ligeiramente (ou bastante) irritado quando membros do seu time tomam decisões sem consultá-lo?

Se respondeu sim a pelo menos duas dessas perguntas, provavelmente sofre dessa síndrome, mas calma! No decorrer deste livro aprenderá a se curar.

Inflexibilidade e inadaptabilidade

Inflexibilidade e inadaptabilidade são conceitos relacionados, porém não são a mesma coisa. No mundo corporativo, inflexível é aquele indivíduo que não gosta ou não quer mudar a maneira de fazer algo. Já o inadaptável não *consegue* se adaptar às mudanças. "Em time que está ganhando não se mexe" ou "sempre fizemos as coisas dessa maneira por aqui e continuaremos assim" são frases típicas de um pseudolíder. Eles acham que todos e tudo têm de se adaptar a eles, e não o contrário.

Esses profissionais acreditam que as características que os tornaram bem-sucedidos até chegarem a posições de liderança serão as mesmas que os manterão em ascensão. O fato é que essa é uma verdadeira falácia. Peter Drucker, um dos maiores pensadores da disciplina de administração, dizia: "Se você administra seu negócio hoje da mesma maneira que administrava ontem, amanhã não terá um negócio para administrar". Isso também se aplica para as habilidades de um profissional.

Uma pessoa pode ter sido promovida por competências específicas de um especialista (como na história de Marco), porém, essas competências não garantirão necessariamente seu sucesso como líder. Indo além, as mesmas habilidades valorizadas hoje podem ser irrelevantes amanhã. Atualmente, alguém pode se gabar de quantas letras consegue datilografar por minuto? Há 25 ou 30 anos essa era uma habilidade bastante valorizada no mundo corporativo, porém hoje... Por isso, a inflexibilidade e a inadaptabilidade são antagônicas ao desenvolvimento profissional.

Se você já leu meu livro *O instinto do sucesso*, sabe como admiro Charles Darwin, e aqui mais uma vez tenho de citá-lo, pois, segundo a brilhante teoria da evolução postulada no clássico livro *A origem das espécies* (Hemus, 2013), não é a espécie mais forte que prevalece e sim a mais adaptável. Pense nisso.

Falta de propósito

Muitas vezes, os "sintomas" de um pseudolíder que descrevi anteriormente somente mascaram algo muito mais profundo, ou seja, uma verdadeira "enfermidade", que é a falta de um propósito claro. Não me refiro aqui a saber a missão da empresa, as metas financeiras ou o plano estratégico para os próximos cinco anos, mas a um propósito que vai além do trabalho do dia a dia, da função, do cargo e de qualquer recompensa financeira.

Em abril de 2012, fui convidado para ministrar uma palestra na Mars, uma das maiores empresas de capital fechado do mundo e famosa por produzir chocolates como M&M, Snickers e Twix. Tive uma conversa com o presidente da subsidiária brasileira, que me explicou detalhadamente os princípios que norteavam o sucesso da empresa desde sua fundação há mais de cem anos, os objetivos ambiciosos que buscavam alcançar e como minha mensagem se encaixaria no momento atual da empresa. Contudo, somente quando compartilhou comigo a visão da empresa foi que realmente entendi o verdadeiro propósito de cada funcionário naquela organização. Parte dessa visão dizia algo como "... criar mais momentos de alegria em mais lugares, trazendo mais sorrisos para o mundo...".

Quem trabalha para essa empresa, desde o produtor de cacau, passando pelos operários nas fábricas, os assistentes, os gerentes, os diretores e até o presidente, deve ter um propósito claro – trazer mais sorrisos para o mundo. Esse pode ser um conceito razoavelmente simples de entender, mas muito difícil de realmente ser incorporado e colocado em prática. Além disso, o entendimento não pode ocorrer apenas intelectualmente, tem de ir além...

Pseudolíderes simplesmente não conseguem encontrar esse propósito. Explorarei essa questão com mais profundidade quando abordar o tema "obstinação" no Capítulo 8.

No entanto, se este livro é sobre como desenvolver o instinto da liderança e se tornar um grande líder, por que estou falando de pseudolíderes? Acredito que é fundamental reconhecer comportamentos e características do que chamo de pseudolíderes justamente para que possa identificar se você, ou alguém do seu convívio, "sofre desse mal" que assola tantas empresas e organizações de todo o mundo.

A consciência de que existe um problema é o primeiro passo para resolvê-lo. Por isso, antes de continuar a leitura, reflita por alguns momentos sobre o que acabei de apresentar e anote em uma folha de papel as possíveis características de um pseudolíder que reconheceu em si próprio e as eventuais habilidades que gostaria de melhorar na sua maneira de liderar. A promessa que humildemente lhe faço aqui é de que, ao terminar a leitura deste livro, estará mais bem equipado para corrigir esses problemas e melhorar suas habilidades de liderança.

Capítulo 2

Pense como um líder

O primeiro passo para uma trajetória de liderança bem-sucedida no mundo corporativo, ou em qualquer outro ambiente, é *pensar* e se *comportar* como um verdadeiro líder. Isso significa que, independentemente do seu cargo ou da sua função, você deverá buscar oportunidades para liderar, nem que seja a si próprio (você é o primeiro membro da sua equipe!). Para começar sua jornada rumo ao instinto de liderança, são necessárias três competências fundamentais:

- visão clara de aonde se quer chegar e do que se quer atingir;

- comunicação precisa e efetiva; e

- capacidade de inspirar os outros e a si próprio.

A seguir vou sugerir ações específicas para ajudá-lo a desenvolver essas competências.

Seja um visionário

"Insatisfação e desencorajamento não são causados por ausência de coisas, mas sim por ausência de visão."

— Anônimo

Um líder deve ter visão clara de aonde quer chegar e para onde quer conduzir a empresa, a organização ou o país. A definição dos caminhos para chegar a essa visão, ou o que chamamos de estratégias, é a tarefa primordial de qualquer líder e o primeiro passo para desenvolver o instinto de liderança.

No mundo natural, a águia é um animal que se vale da visão extremamente desenvolvida para avistar sua presa a quilômetros de distância. Para isso, ela se posiciona nas alturas, o que lhe proporciona um ângulo vantajoso para realmente enxergar todas as possibilidades e, depois de avistar a presa, definir a melhor estratégia para abatê-la. Suas presas, em geral pequenos roedores ou lagartos, não têm a visão privilegiada da águia, pois enxergam apenas o que está a poucos metros de distância à sua frente ou ao seu lado. O resultado? Na maioria das vezes, é morte certa para a presa, que, quando percebe o ataque, já é tarde demais.

Fazendo uma analogia com o mundo corporativo, líderes sem visão são "presas" fáceis para a concorrência, que, enxergando mais longe, tornam as empresas desses líderes irrelevantes. No clássico artigo de Theodore Levitt para a *Harvard Business Review*, "Miopia em marketing", de 1960, ele descreve o que ocorreu quando os magnatas das ferrovias dos Estados Unidos observaram que o transporte aéreo começou a ser utilizado. A maior parte daqueles empresários não teve visão para enxergar o que estava acontecendo no mundo, desprezando a importância do transporte aéreo. O erro desses empresários foi achar que estavam no negócio de ferrovias, quando na verdade seu negócio era simplesmente transporte.

Na década de 1990, nos Estados Unidos, a empresa Blockbuster era uma gigante, líder absoluta em aluguel de filmes em VHS e posteriormente em DVD. Em cada bairro existia uma loja da Blockbuster que acomodava a necessidade das pessoas que queriam assistir a filmes no conforto do lar. Em 1998, surgiu a Netflix, uma pequena empresa de Los Gatos, na Califórnia, que oferecia a possibilidade de receber DVDs alugados pelo correio. As pessoas pagavam uma assinatura mensal e podiam manter até três filmes em casa por vez. Bastava escolher seus filmes favoritos pelo site da empresa e receber os DVDs no conforto de casa.

Esse novo modelo de negócio criado pela Netflix possuía uma grande vantagem em relação ao modelo da Blockbuster – não existiam taxas de cobrança por atrasos na devolução dos DVDs. Como pagava uma assinatura mensal, você podia ficar com os DVDs quanto tempo quisesse. A única restrição é que só era possível pedir novos filmes quando já tivesse devolvido os DVDs retirados. Consumidores cansados de pagar taxas de atraso para a Blockbuster logo se interessaram pelo novo modelo da Netflix. Eu mesmo vivia nos Estados Unidos nessa época e rapidamente deixei de frequentar as lojas da Blockbuster quando adotei os serviços da Netflix.

Os líderes da Blockbuster na época não tiveram a visão de que aquela indústria estava mudando para sempre e que o negócio em que a Blockbuster estava não era alugar DVDs em suas lojas e sim oferecer a seus clientes a maneira mais conveniente de assistir a seus filmes favoritos. Em 2000, quando Reed Hastings, fundador da Netflix, reuniu-se com executivos da Blockbuster para oferecer uma parceria, John Antioco, o então CEO da empresa, praticamente riu da proposta de Hastings. Dez anos mais tarde, a Blockbuster declarou falência.

Visão, porém, é algo ainda mais abrangente e envolve tanto o que fazer como o que *não* fazer...

Se analisarmos a célebre frase "Ser ou não ser, eis a questão" (no original em inglês *To be or not to be, that's the question*"), que William Shakespeare escreveu na peça *A tragédia de Hamlet, príncipe da Dinamarca*, chegaremos à conclusão de que não é possível dissociar o "ser" do "não ser". Ao fazer uma analogia dessa frase com o mundo dos negócios, está cada vez mais claro que o que "não fazer" em termos de estratégia é tão importante quanto o que "fazer", e as empresas mais bem-sucedidas da atualidade têm sido aquelas que decidem com maestria o que "não fazer".

Vamos ao caso da Red Bull, por exemplo, que possui inequivocamente a marca mais conhecida e valorizada no segmento de bebidas energéticas. Para tirar vantagem disso, um pensamento natural seria utilizar uma estratégia de *brand extension*, ou seja, desenvolver novos produtos capitalizando a força da marca, como uma barra de cereais energética ou algo do gênero. O que a Red Bull decidiu fazer? Nada! A empresa optou por continuar com foco total em seu único produto e se mantém como uma das empresas mais bem-sucedidas e rentáveis da atualidade em seu segmento.

Já outras empresas que foram ícones do passado acabaram perdendo *market share* e principalmente rentabilidade por atuar em muitos segmentos completamente distintos. Um exemplo disso é a Sony. A empresa se tornou um grande conglomerado que atua em tantas áreas distintas que a complexidade de suas operações, inevitavelmente, impactou de maneira negativa a sua rentabilidade. Sem dúvida, a empresa possui produtos excelentes em alguns segmentos, como o de TVs, porém em outros não é tão competitiva quanto os concorrentes. A baixa *performance* nesses mercados acaba impactando negativamente a rentabilidade geral da empresa.

Uma estratégia que Jack Welch usou com muito sucesso durante sua gestão na GE foi vender qualquer negócio do conglomerado que não fosse capaz de ser o líder ou vice-líder do mercado em que atuava. Em outras palavras, em sua visão estava claro o que a GE não deveria fazer.

Um método para desenvolver sua capacidade visionária

Comece com "Por quê?"

Para você que já leu *A estratégia do olho de tigre*, perdoe-me pela redundância, mas essa é uma prática tão importante que merece ser lembrada, mesmo que de maneira resumida. Simon Sinek em seu brilhante livro *Por quê? Como grandes investidores inspiram ação* (Saraiva, 2012), propõe que os maiores líderes em todas as áreas não começam um projeto ou defendem uma causa pensando em como ou o que fazer para alcançar os objetivos. Eles sempre começam com *"Por quê?"*, ou seja com o propósito em mente. Por que estou defendendo esta causa? Por que quero realizar este projeto? Por que quero transformar minha empresa na melhor e maior do mercado? Por que quero mudar o mundo? Quando pensar na sua visão para o que quer que seja, comece também pensando em *"por quê?"*.

Desenhe sua visão

O que proponho aqui é que você literalmente desenhe sua visão em uma folha de papel. Não importa se não é um Picasso (eu mesmo sou péssimo para desenhar!), o que importa é usar uma parte diferente do cérebro para expressar sua visão.

Já observei diversos participantes de workshops que ministrei que apresentavam visões diferentes em relação ao que falavam ou escreviam quando comparadas com o que desenhavam. Investigando mais a fundo o que realmente queriam atingir, qual era a sua visão, adivinhe o que acontecia? A visão do desenho era muito mais próxima do que realmente tinham em mente e acreditavam. Isso quer dizer que no desenho a visão era mais autêntica.

Uma possível explicação é que, para desenhar uma imagem livre, usamos mais o hemisfério direito do cérebro que está ligado ao pensamento simbólico e à criatividade. Muitas vezes, quando racionalizamos uma ideia, ela pode perder seu verdadeiro gênese, pois tentamos encaixá-la no que faz sentido racionalmente para nossa mente ou para o que achamos que os outros ou a sociedade espera de nós. Dessa maneira, perdemos a espontaneidade de uma ideia original ou, nesse caso, de uma visão realmente autêntica.

Escreva (e reescreva) sua visão

Depois de ter colocado no papel a imagem da sua visão, agora é hora de usar o hemisfério esquerdo do cérebro. Escreva e reescreva sua visão quantas vezes achar necessário para que ela reflita o que você realmente pensou. O ideal é que, depois de reescrever diversas vezes, você aguarde um ou dois dias para avaliá-la de novo. Provavelmente, terá ideias adicionais de como melhorar sua visão após esse período. Então, teste sua visão com as pessoas simplesmente lhes falando o que você escreveu. Se houver dificuldade para entender sua visão, não pense que você é um gênio e que as pessoas não o entendem – apenas reescreva e faça tudo mais uma vez.

Faça um check-list de sete passos

No livro *Liderando mudanças – transformando empresas com a força das emoções* (Campus, 2013), o conceituado professor da Harvard Business School, John Kotter descreve o que seriam as seis características de uma visão efetiva. Eu tenho usado esse *check-list* sempre que crio uma visão e acredito que seja realmente efetivo, porém acrescentei um sétimo passo ao modelo de Kotter que, de acordo com a minha experiência, faz diferença entre o sucesso e o fracasso de uma visão. A visão deve ser:

1. **Imaginável:** a visão deve delinear o que será o futuro de uma maneira que as pessoas consigam imaginar. Outro ponto fundamental é que, ao contrário de um objetivo que deve ser bem específico, a visão não deve ser nem tão específica que não possa ser adaptada com o tempo nem tão geral que pareça algo vago.

2. **Desejável:** isso parece óbvio, mas o importante aqui é que a visão não pode ser desejável apenas para quem a criou, mas sim para todos os que serão afetados por ela. Por exemplo, no ambiente corporativo, a visão deve considerar no mínimo os interesses dos funcionários da empresa, dos clientes e dos acionistas. No ambiente social, os interesses de diferentes

segmentos da população. Se for interessar apenas a um segmento específico, não é uma visão realmente desejável.

3. **Factível:** ao contrário do que alguns autores de autoajuda pregam, uma visão não deve ser confundida com um sonho de conto de fadas. O conceito deve ser enraizado na realidade, mesmo que pareça ousado e improvável naquela conjuntura. Quando, em 28 de agosto de 1963, nas escadarias do Lincoln Memorial em Washington D.C., o pastor e ativista norte-americano Marthin Luther King proferiu o inesquecível discurso em favor da igualdade entre brancos e negros nos Estados Unidos, ele disse que tinha um sonho: "Eu tenho um sonho que minhas quatro pequenas crianças vão um dia viver em uma nação onde elas não serão julgadas pela cor da pele, mas pelo conteúdo do seu caráter".

Essa visão, apesar de difícil para a época, era factível, e então as pessoas puderam acreditar nela. Se naquele discurso o doutor King, como era mais conhecido, tivesse dito que seu sonho era ver um negro se tornar presidente dos Estados Unidos, provavelmente as pessoas que o ouviam não achariam aquilo factível e aquela visão teria menos força. Sua visão de igualdade entre as pessoas foi se materializando ano após ano e, mesmo que muito avanço nessa questão ainda seja necessário, quase quarenta anos após aquele célebre discurso, Barack Hussein Obama foi o primeiro negro a ser eleito presidente daquele país. Isso só foi possível pela determinação de milhares de pessoas que se uniram em torno da visão ousada, porém *factível*, que foi criada por Luther King na década de 1960.

4. **Focada:** aqui vale a ideia de que aquele que tenta ser tudo para todos se torna nada para ninguém. Como já vimos antes, é necessário fazer escolhas e a visão deve refletir implicitamente não só o que se quer atingir, mas também o que não se pretende conquistar com essa visão.

5. **Flexível:** essa talvez seja a característica mais difícil de incluir em uma visão. Contudo, a questão aqui é simplesmente se conscientizar de que as coisas invariavelmente mudam com o tempo. Na época em que Martin Luther King promoveu sua visão sobre igualdade entre todos, havia nos Estados Unidos segregação racial nos ônibus, ou seja, os negros tinham de usar a parte de trás desses veículos e ceder lugar aos brancos quando não houvesse mais bancos livres.

King não disse que sua visão era de que negros e brancos fossem tratados igualmente para que pudessem se sentar nos bancos dos ônibus ou para votar ou corrigir qualquer injustiça da época. Sua visão era de que as pessoas não fossem julgadas pela cor da pele, mas, sim, pelo caráter, o que mostra a flexibilidade de sua visão – essa igualdade poderia ser adaptada para qualquer época, lugar ou situação.

6. **Comunicável:** uma visão efetiva deve ser facilmente comunicada. Se você tiver de explicá-la, não é uma boa visão. Para testar esse conceito, comunique a visão para pessoas que não estejam envolvidas com o negócio ou a causa. Podem ser amigos pessoais ou colegas de outras indústrias. Se a visão não ficar clara para eles, reescreva!

7. **Autêntica** (este é o passo que acrescentei ao modelo de Kotter): a visão deve ser compatível com quem você é e o que você realmente acredita. Certa vez, vi uma entrevista do nosso ex-presidente Fernando Henrique Cardoso, na qual comentava que, na época em que conheceu o também ex-presidente Luiz Inácio Lula da Silva, discordava de suas ideias, porém admirava sua autenticidade. No entanto, dizia Fernando Henrique que, com o tempo,

o Lula havia perdido essa característica e que seu discurso não era mais compatível com quem ele era e o que realmente acreditava. Se isso é verdade ou não, deixarei o leitor decidir, mas, de qualquer maneira, quero salientar aqui que, para ser efetiva, uma visão precisa ser autêntica.

Capítulo 3

Comunique-se com precisão

"O maior problema com a comunicação é a ilusão de que ela foi alcançada."

— George Bernard Shaw

Um líder deve se comunicar com precisão para que sua visão e suas direções sejam passadas de maneira clara e inequívoca. A comunicação efetiva pressupõe que quem ouve assimile a mensagem, por isso, um bom comunicador sabe adaptar a mensagem de acordo com a audiência. Enquanto a linguagem falada é um privilégio dos seres humanos, na natureza existem várias espécies de animais que, mesmo sem "falar", desenvolveram complexos sistemas de comunicação.

Uma das espécies que mais se destaca é a de um pequeno roedor que habita as pradarias do México, do Canadá e do Estados Unidos – o cão da pradaria. O pesquisador Con Slobodchikoff, da Universidade do Arizona, passou trinta anos estudando esses animais e descobriu que o sistema de comunicação deles é tão preciso que possuem sons distintos para identificar não só espécies diferentes de predadores, mas até para seres humanos que usavam camisas de cores diferentes.

Nós temos o privilégio de possuir um sistema de comunicação extremamente desenvolvido. No entanto, por ser tão desenvolvido, é também muito complexo, o que, para alguns, pode criar grandes confusões, ou para quem domina esse sistema de comunicação pode chegar até a salvar uma vida...

O adivinho e o comunicador

Uma conhecida anedota árabe conta que um sultão sonhou que havia perdido todos os dentes exceto um. Logo que despertou, mandou chamar um adivinho para que interpretasse seu sonho.

— Tenho más notícias, senhor! – exclamou o adivinho. — Cada dente caído representa a perda de um parente de vossa majestade.

— Mas que insolente! — Gritou o sultão, enfurecido. — Como te atreves a dizer-me semelhante coisa? Fora daqui! — Chamou os guardas e ordenou que lhe cortassem a cabeça.

Comunique-se com precisão **77**

O sultão mandou que trouxessem outro adivinho e lhe contou sobre o sonho. Este, depois de ouvir o sultão com atenção, disse-lhe:

— Excelso senhor! Grande felicidade vos está reservada. O sonho significa que haveis de sobreviver a todos os vossos parentes.

A fisionomia do sultão iluminou-se num sorriso, e ele mandou dar uma grande recompensa ao segundo adivinho.

Para desenvolver o instinto da liderança, você deve aprender a dominar com maestria a arte da comunicação a fim de saber não só o que dizer, mas também *como* dizer algo.

Um método para se comunicar melhor

- **Seja autêntico:** a não ser que seja um jornalista afamado que deve se comunicar em alto padrão, você deve buscar o próprio estilo. É natural que você se influencie pelos grandes oradores ou líderes que admira, porém, analise o que eles *fazem* que os torna bons comunicadores e não tente imitá-los. Em outras palavras, seja autêntico.

- **Menos é mais:** esse é um conceito que vale ouro em comunicação. Seja sucinto e objetivo em suas comunicações, tanto na forma escrita quanto na verbal. Para treinar essa habilidade na parte escrita, sempre revise seus e-mails ou textos e tente reescrevê-los com menos palavras. Na comunicação verbal, escreva as principais partes de sua fala para uma reunião ou apresentação e faça o mesmo exercício de reescrever o texto cortando palavras. Então, pratique falar o texto revisado tantas vezes quantas achar necessárias, até que se sinta confortável em se comunicar da nova maneira.

- **Adapte:** ao mesmo tempo que deve ter seu estilo próprio e ser autêntico em sua comunicação, é necessário adaptar a maneira de se comunicar de acordo com a audiência e a situação. Por exemplo, a minha maneira de comunicar em relação ao uso de gírias, tom de voz, jargões, tipos de exemplos etc. varia bastante quando estou em uma apresentação para o conselho de diretores de um banco ou em uma palestra para estudantes de Marketing ou de Psicologia.

- **Respire:** quando ficamos ansiosos, com medo ou nervosos, inconscientemente aceleramos e encurtamos nossos movimentos respiratórios. Isso faz com que aceleremos nossa fala, articulemos menos a

Comunique-se com precisão   **79**

boca e até "comamos" palavras. Para evitar isso, respire fundo e fale devagar. Antes de qualquer apresentação ou reunião importante, realize o seguinte exercício que aprendi com um mestre de ioga: faça dez movimentos de respiração abdominal (aquela respiração que, em vez de encher o peito, você estufa a barriga) e a cada um faça um som com a boca: "uhm". Parece estranho... e é mesmo! Por isso, você deve fazer esse exercício em algum lugar isolado. Tenho praticado esse exercício sempre antes de fazer uma palestra ou reunião importante e tem me ajudado muito a me sentir mais calmo e concentrado.

- **Foque e repita!** Se você tentar comunicar muitas ideias em uma apresentação, um discurso ou um e-mail, terá grandes chances de confundir os interlocutores. Por isso, crie uma mensagem que tenha foco nos pontos mais relevantes (obviamente vai variar de situação para situação, mas o ideal é que não sejam mais do que dois ou três pontos principais). Depois de definidos os pontos mais relevantes da mensagem, repita essas ideias sempre que possível e com certeza no final da sua apresentação ou do seu discurso (lembre-se da regra "conte o que vai falar, fale, e conte o que você acabou de falar").

Quando estava nos Estados Unidos cursando um MBA me candidatei à posição de presidente do grupo de estudantes internacionais da universidade. Para mim, era algo completamente novo, mas já havia visto essas eleições nas universidades norte-americanas em filmes e me empolguei com a ideia de viver a experiência. Eles levam isso muito a sério e, como obviamente queria causar boa impressão, comecei a pensar na minha "proposta eleitoral".

Logo que os candidatos foram anunciados (eu concorreria com mais três candidatos), começaram as "campanhas eleitorais". Quando preparei meu discurso, concentrei-me em apenas duas questões: como aumentar a empregabilidade dos estudantes internacionais e como promover festas que aproveitassem a vasta diversidade cultural dos estudantes (havia estudantes de mais de quinze nacionalidades no programa).

Pensei que os dois temas apresentariam um bom equilíbrio entre algo sério como empregabilidade e algo mais divertido como as festas. Meu discurso foi simples e direto, mas repeti diversas vezes os dois temas centrais que queria comunicar (acho que até exagerei na repetição!). O resultado da eleição? Fui eleito presidente! No entanto, antes que meu ego pudesse se inflar muito achando que havia ganhado porque era o melhor candidato, ouvi um diálogo entre alguns estudantes que comentavam o resultado das eleições: "Em quem você votou?", perguntou um deles. "No brasileiro", o outro respondeu. "Eu também." "Por que você votou nele?" "Ah, nem sei se gostei muito dele, mas eu não conseguia me lembrar de nada que foi dito no discurso dos outros. Pelo menos lembrei que no discurso do brasileiro ele falou algo sobre emprego e festas!"

- **Cheque por entendimento:** comunicação é uma via de mão dupla. Alguém comunica uma ideia ou informação e o receptor deve assimilar o que foi comunicado. Sem a segunda parte, não há comunicação. Para se certificar de que o outro lado entendeu o que foi comunicado, é preciso checar se houve esse entendimento. A melhor maneira de fazer isso é pedir que a pessoa faça uma paráfrase do que você acabou de dizer.

Parafrasear significa expor com as próprias palavras o que outra pessoa disse. Essa técnica é fundamental, pois a resposta parafraseada esclarece para o remetente que sua mensagem foi recebida de maneira correta. Essa técnica também serve para que você, como líder, entenda o que as pessoas estão lhe comunicando.

82 O líder alfa

Crie o hábito de checar por entendimento o que você comunicou e o que lhe foi comunicado sempre que possível. Aplicando essa técnica com regularidade, você se surpreenderá com a quantidade de vezes em que algo terá de ser comunicado novamente porque a informação não foi entendida como se esperava ou vice-versa. Esse é um hábito que realmente pode significar a diferença entre sucesso e fracasso de uma comunicação não só no mundo corporativo, mas também na vida pessoal (principalmente se você é casado!).

Em uma ocasião, fui visitar um possível novo cliente e, enquanto a diretora de recursos humanos me explicava a necessidade de treinamento dos líderes da empresa, o diretor financeiro me falava de como a empresa funcionava. Em dado momento, o diretor comercial se juntou à reunião e começou a me contar o que era importante para os executivos da área comercial. A certa altura da reunião, percebi que algumas das informações que ouvia do diretor comercial pareciam conflitar com o que eu havia ouvido antes. Nesse momento, cometi um erro fatal... Não cheguei por meu próprio entendimento, ou seja, não usei a técnica de parafrasear para ter certeza de que estava entendendo corretamente como a empresa operava e qual era a necessidade de desenvolvimento dos seus colaboradores.

Voltei para o escritório com minhas anotações e começei a criar a proposta. Alguns dias depois, com a proposta finalizada, pedi uma nova reunião com os executivos daquela empresa para apresentá-la (sempre prefiro fazê-lo pessoalmente, pois assim posso entender melhor o cliente e aliviar qualquer preocupação que possa surgir naquele momento).

No dia da apresentação, a diretora de recursos humanos chegou à sala de reunião um pouco antes dos outros e ficamos conversando até que os executivos chegassem. De repente, algo que ela me disse indicou que eu havia entendido uma informação vital do modelo de negócio deles de maneira oposta (eles vendiam, e não compravam determinado produto). Por um instante, entrei em pânico! Por sorte, porém, essa informação não afetava o programa de desenvolvimento e, aparentemente, era a única que eu havia entendido de maneira equivocada.

Assim, na hora de ligar meu notebook para começar a apresentação, pude apagar esse slide antes que os outros executivos viessem para a reunião. Deu tudo certo, mas foi uma baita "saia justa"! Todo esse estresse poderia ter sido evitado se eu simplesmente tivesse parafraseado as informações que recebi na reunião inicial, certificando-me assim de que havia entendido o que realmente tinham falado.

- **Ouça:** ouvir pode parecer fácil, mas na verdade é um desafio diário e uma habilidade que precisa ser desenvolvida. Muitas vezes estamos tão concentrados no que dizemos ou pensamos que não conseguimos prestar atenção nas respostas ou nas colocações do receptor da nossa mensagem.

De acordo com um estudo publicado na *Harvard Business Review* (*7 Tips for effective listening*, de Tom D. Lewis e Gerald Graham), de modo geral, as pessoas consideram mais importante aquilo que estão falando do que aquilo que ouvem. E mais ainda: elas acreditam que o que dizem tem prioridade sobre aquilo que ouvem (soa familiar para você?). Ouvir com qualidade e atenção, portanto, pode fazer muita diferença no ambiente corporativo e impactar diretamente na produtividade dos funcionários e, por consequência, nos resultados da empresa. Para ajudá-lo com essa habilidade, exercite estas quatro recomendações:

1. **Realmente concentre-se no que os outros dizem e não faça outra atividade, a não ser respirar, enquanto ouve alguém.** De acordo com o artigo citado no parágrafo anterior, a maioria das pessoas fala entre 175 e 200 palavras por minuto e somos capazes de ouvir e processar cerca de 600 a 1.000 palavras por minuto. Como nossa capacidade de ouvir é

muito maior do que a de falar, temos a tendência a nos dispersar quando ouvimos alguém. Por isso, se não estivermos absolutamente concentrados, há um grande risco de não interpretarmos de modo correto a informação.

2. **Evite fazer uma avaliação precipitada.** Ao ouvir, muitas vezes fazemos julgamentos imediatos sobre o que o orador está dizendo. Essa tendência é talvez a maior barreira para ouvir eficientemente. Quando não entendemos a mensagem ou parte dela, em geral distorcemos o significado do que está sendo dito para adaptá-lo a algo que faça sentido para nós. Isso ocorre por uma questão evolutiva, em que, por instinto, queremos definir logo em nossa mente onde aquilo se encaixa (no livro *O instinto do sucesso*, explico com mais detalhes as causas desse tipo de reação instintiva e como lidar com essas situações).

3. **Preste atenção na linguagem não verbal.** Ao ouvir, é importante considerar a maneira como o conteúdo é passado. Uma pessoa que olha para baixo enquanto fala, por exemplo, pode estar envergonhada ou tímida. Aqueles que fazem contato com os olhos e inclinam-se para a frente podem exibir confiança. Estar atento a esses sinais ajuda a ouvir com qualidade e entender melhor o contexto da

informação, pois, de certa maneira, esses sinais servem como pontuação (lembra-se do exemplo da frase com diferentes pontuações que apresentei no começo do livro?). Também é importante demonstrar atenção por meio da linguagem não verbal, como concordar com a cabeça. A sua linguagem corporal deve refletir a mensagem recebida.

4. **Simplesmente escute!** É natural que ouvintes eficazes façam perguntas para esclarecer pontos ou obter informações adicionais, mas é fundamental que, ao fazer uma pergunta, simplesmente *escute* a resposta e não tente "ajudar" a pessoa a responder. Não existe nada pior do que aquele que sempre quer terminar a frase do outro. Lembre-se: silêncio é ouro!

Inspire para "motivar"!

> *"O grande líder não é necessariamente o que faz grandes coisas, mas sim aquele que consegue que as pessoas façam grandes coisas."*
>
> — Ronald Reagan

Sem dúvida, a característica mais comentada em relação a um líder é a capacidade de "motivar" a equipe. A palavra *motivação* vem do latim *movere*, que significa mover para realizar determinada ação, consequentemente "motivar" significa provocar movimento com determinado objetivo. O emprego indiscriminado da palavra *motivação* ou *motivacional* acabou criando certo preconceito contra o termo.

Devo confessar que, quando alguma empresa me chamava para fazer uma palestra "motivacional", eu mesmo torcia o nariz. A verdade, porém, é que a capacidade de "motivar" é algo raro e por isso tão valioso. Tente se lembrar de algum professor que admirava na infância ou na adolescência. Com certeza, esse profissional foi capaz de "motivá-lo" a estudar aquela matéria, mesmo que não fosse sua preferida. O oposto também é verdadeiro, ou seja, por mais que tenha interesse em algo, alguém que tenha influência em sua vida consegue "desmotivá-lo" de tal maneira que você poderá até deixar aquele interesse de lado. (Lembra-se de quando mencionei os pseudolíderes?) O verdadeiro líder consegue "motivar" as pessoas independentemente do ambiente, da situação e de possuir ou não autoridade formal. Sua capacidade de empatia e de inspirar as pessoas faz com que sua equipe, seus colegas e quem quer que esteja ao seu redor o sigam não por obrigação, mas sim por admiração.

Como mencionei na apresentação deste livro, os elefantes possuem uma maneira de liderar que estaria mais próxima do conceito de inspirar. O líder da manada é a matriarca, geralmente a fêmea mais velha, que não exerce liderança com base na força física, como vemos em outras espécies. Sua liderança é baseada na criação de um ambiente de colaboração em que todos da manada cuidam uns dos outros, não deixando para trás nem mesmo um único elefante.

Boyd Varty, um ativista ambiental, descreve em sua palestra, no TED de São Francisco, uma jovem elefanta com um defeito nas patas traseiras que é ajudada por outros elefantes a subir um morro. Fala também de como a matriarca a ajudava, pegando comida nas árvores que ela não poderia alcançar.

Quando Boyd viu essa elefanta pela primeira vez, logo pensou que não sobreviveria dada a sua condição, mas ele observou por cinco anos essa manada de elefantes fazer o mesmo trajeto junto com essa pequena elefanta. Os membros da manada seguem a matriarca porque de alguma maneira instintiva são "inspirados" por sua maneira de liderar.

No mundo humano, isso seria equivalente à capacidade que um líder possui de inspirar os outros a segui-lo independentemente de possuir ou não autoridade formal. Alguma semelhança com a maneira de as mulheres liderarem no nosso mundo? Vou usar aqui uma óbvia generalização, mas a verdade é que *em geral* as mulheres tendem a liderar de maneira mais colaborativa, o que, consequentemente, costuma inspirar e "motivar" mais as pessoas, pois elas sentem que também fazem parte dessa liderança. Aliás, cada vez mais conhecemos histórias de mulheres bem-sucedidas que se orgulham de ter obtido sucesso mantendo a essência de mulher, mãe e esposa.

Em seu best-seller, *Faça acontecer – Mulheres, trabalho e a vontade de liderar* (Companhia das Letras, 2013), Sheryl Sandberg conta como se tornou uma das executivas mais respeitadas do mundo sem deixar de ser ela mesma. Sheryl mostra de maneira honesta e transparente que a maioria das mulheres, assim como ela, realmente busca evoluir na carreira no mundo corporativo e enfrenta obstáculos enormes, além de ter de se deparar com os próprios conflitos pessoais de conciliar a carreira com a vida pessoal.

O livro, porém, passa uma mensagem muito poderosa de que, apesar dos grandes desafios, as mulheres podem, sim, manter a essência como mulheres, esposas ou mães, caso desejem ter essas experiências e queiram ser líderes empresariais bem-sucedidas. Concordo plenamente com

90 O líder alfa

essa visão e, indo além, arrisco dizer que as empresas mais bem-sucedidas no futuro serão aquelas que conseguirem capitalizar a sinergia existente entre homens e mulheres liderando *juntos*.

Voltando à questão da motivação, você poderá argumentar que as pessoas também são motivadas pelo medo e que um líder autoritário pode "motivar" de maneira ainda mais efetiva do que um líder colaborativo ou democrático.

Enquanto esse argumento é válido, quero aqui fazer uma provocação: Será que alguém pode realmente "motivar" outra pessoa? Existem várias maneiras de "motivar" alguém a fazer algo que queremos. Podemos ameaçá-las, chantageá-las ou mesmo oferecer recompensas a elas. Em muitos casos, qualquer uma dessas maneiras funcionará para "motivar" alguém a fazer algo. Contudo, qualquer uma delas, inclusive as recompensas, possui efeito de curto prazo.

Você deve ter notado que, *todas* as vezes que usei o verbo "motivar", coloquei-o entre aspas. Por que fiz isso? (não, não foi um erro de revisão!). Fiz isso porque acredito que a única possível e verdadeira motivação vem de dentro e, portanto, voltando à minha provocação, não acredito que alguém seja capaz de "motivar" outra pessoa, mas, sim, de despertar a própria capacidade interna de se automotivar. Essa é a verdadeira habilidade de um líder efetivo:

Comunique-se com precisão **91**

inspirar e energizar as pessoas para que elas próprias consigam se automotivar.

No artigo "One more time: How do you motivate employees" (em tradução livre, Mais uma vez: Como motivamos os funcionários), que Frederick Herzberg escreveu em 1968 para a *Harvard Business Review* e se tornou o mais vendido de todos os tempos entre milhares de artigos já publicados pela *HBR*, ele discute as aplicações e os resultados obtidos do modelo de motivação KITA. Se você pensou que o nome desse modelo se origina em algum termo científico ou que faz parte de uma linguagem acadêmica rebuscada, enganou-se. A sigla KITA em inglês vem de *Kick in the ass* (chute no traseiro). Sim, Herzberg apresenta exemplos de KITA, como:

- KITA negativo de maneira física: essa forma é aplicada mais comumente para "motivar" cães de estimação. Quando o Totó não quer sair do sofá, às vezes é necessário dar um empurrãozinho nele para que se motive a sair de lá. A não ser que sua equipe seja formada de cães, não recomendo esse modelo de motivação no mundo corporativo!

- KITA negativo de maneira psicológica: essa forma tem algumas vantagens em relação à maneira física, pois não deixa marcas aparentes e, se o funcionário reclamar dessa forma de motivação, ele

sempre pode ser acusado de agir de maneira para-
noica. A não ser que você queira desenvolver uma
equipe de paranoicos, esse modelo de motivação
também não funciona.

Tanto a maneira física como a psicológica do KITA, na
verdade, somente causam *movimento* e não motivação. É
aí que entra outra forma de KITA:

- KITA positivo: isso, sim, é que é motivação! Incentive
seus subordinados a agir da maneira que você
quer, oferecendo a eles recompensas pelo bom
comportamento. Essa forma funciona no velho estilo de suborno: "Você faz algo que eu quero, e eu
te dou uma recompensa por isso". Pode ser um bônus anual, um benefício extra etc. Se o alvo da motivação for o fiel Totó, existem inúmeras recompensas:
um biscoito canino, um osso comestível, um pedaço
de carne etc.

Você nota algo de errado com alguma das formas de
"motivação" descritas? Além das óbvias implicações nega-
tivas (e até ilegais) das primeiras duas formas, todas elas,
incluindo o KITA positivo, apresentam um sério problema
conceitual. Se eu chutar o traseiro do meu cachorro ou gritar com ele, o Totó vai se mover. E quando eu quiser que ele
se mova de novo, o que eu deverei fazer? Chutar ou gritar
com ele novamente! Se, em vez de chutar ou gritar com o

Totó, eu der um biscoito para ele se fingir de morto, o que eu deverei fazer da próxima vez? Novamente devo dar um biscoito para ele. Trazendo essa comparação para as pessoas, posso "carregar a bateria" delas e recarregá-las inúmeras vezes. Contudo, apenas quando a equipe tiver um gerador próprio é que realmente o líder terá sido capaz de "motivar" o time. Ou seja, seu objetivo como líder não é "motivar", mas *inspirar* e *energizar* as pessoas para que elas mesmas se automotivem.

Um método para ajudar os outros a se automotivar

Entenda como se automotivar

A ideia aqui é que para "motivar" pessoas, ou melhor, inspirá-las e energizá-las para que se automotivem, primeiro é preciso entender como se automotivar. Sendo bem honesto, não conheço uma fórmula para se automotivar de maneira recorrente e consistente, mas o que posso dizer é que o segredo para isso tem a ver com se conhecer melhor.

Além de fazer o exercício da SWOT pessoal, que recomendo e explico como no meu primeiro livro, *A estratégia do olho de tigre*, outro exercício que gostaria de recomendar aqui e que acredito que poderá lhe ajudar bastante nessa trajetória de autoconhecimento é o exercício da "Linha do Tempo".

Em uma folha de papel em branco, desenhe o gráfico da página a seguir e, no lado de "pessoas", escreva o nome das cinco ou seis pessoas que mais o influenciaram desde a sua infância até hoje. No lado de "eventos/acontecimentos", escreva os cinco ou seis eventos/acontecimentos que mais o influenciaram desde a sua infância até hoje. Reflita sobre como e por que essas pessoas e esses eventos o impactaram e o que você aprendeu com eles. Ao fazer essa reflexão, você começará a enxergar que muito da sua maneira de pensar e agir, mesmo que inconscientemente, veio da interação com essas pessoas e do impacto dessas experiências.

Munido dessa nova consciência, do que antes habitava apenas o seu inconsciente, poderá identificar padrões positivos e negativos no seu comportamento que se originaram dessas experiências e reforçar o que o ajuda e dispensar o que não o ajuda. Esse é um pequeno passo para se conhecer melhor e, consequentemente, também entender como se automotivar.

Linha do tempo	
Pessoas	Eventos/Acontecimentos

Conheça os membros da sua equipe

Leon era um jovem gerente de uma loja de uma rede de eletrodomésticos na África do Sul. Ele era muito energético e tinha conseguido excelentes resultados na loja em que era gerente, por isso, seu chefe havia pedido que ele fosse gerenciar outra loja da rede que estava apresentando baixo desempenho. Leon ficou todo entusiasmado com o novo desafio e logo começou a planejar o que faria na outra loja para reverter a situação.

96 O líder alfa

No primeiro dia em sua nova função, Leon reuniu toda a equipe e começou a lhes apresentar a sua visão e o plano para atingir as metas de vendas. Leon falava entusiasticamente enquanto mostrava gráficos em uma apresentação em PowerPoint e gesticulava bastante para esclarecer suas ideias. Ao terminar, Leon perguntou se alguém tinha alguma dúvida. Ouviu-se um silêncio total na audiência. Leon achou aquilo um pouco entranho, mas seguiu: "Bem, como tudo está claro, agora vamos colocar o plano em prática!", foram as palavras finais de Leon antes que os membros da sua equipe voltassem às suas funções.

Passados alguns dias, nada mudara. Todos os funcionários continuavam a fazer suas funções exatamente da mesma maneira que faziam antes. Leon, desapontado com aquela situação, chamou seu chefe para relatar o que estava acontecendo. "Nelson", disse Leon, "eles não estão fazendo nada do que eu disse. Eu expliquei o novo plano detalhadamente, perguntei se tinham dúvidas e nada! Acho que eles simplesmente não têm vontade de melhorar." Nelson ouviu atentamente, olhou para ele e disse apenas uma frase que possuía uma rima em inglês (na África do Sul, além de Africâner, que é a língua oficial, quase toda a população também fala inglês): *Meet them before you lead them* (algo como "Conheça-os antes de liderá-los").

Antes que Leon pudesse fazer alguma pergunta, Nelson já havia se levantado da cadeira e estava a caminho da saída. Leon refletiu por horas sobre o que Nelson havia lhe dito e no dia seguinte anunciou em sua loja: "Pessoal, hoje fecharemos a loja mais cedo e faremos um grande churrasco no quintal!".

Durante o churrasco, Leon conversou com seus funcionários e concentrou-se em conhecer um pouco mais da vida de cada um. Nenhum plano de negócios foi apresentado ou discutido. Após essa experiência, gradativamente Leon começou a ver algumas mudanças no comportamento dos membros da equipe. Ele continuou se interessando por conhecê-los melhor sempre com a frase do chefe em mente ("*Meet them before you lead them*") e, em poucas semanas, todos começaram a executar o novo plano. Depois de sete meses de trabalho duro, os resultados positivos começaram a aparecer. Ainda havia muito a ser feito para atingir as metas, mas pelo menos a loja já não estava mais deficitária.

Tenha interesse genuíno em conhecer os membros da sua equipe além da rotina do dia a dia corporativo – qual o hobby deles, onde cresceram e estudaram, se têm filhos, quais seus sonhos, e assim por diante.

Ajude os outros a encontrar um propósito
(Mas de novo essa coisa de propósito?
Sim, de novo!)

Certa vez ouvi o palestrante Robert Wong dizer que em uma empresa que ele dirigia estava tendo dificuldades com a motivação de sua equipe comercial e os resultados estavam muito abaixo das metas. Então, ele pensou em ajudá-los a encontrar um propósito mais forte do que a simples recompensa financeira. Algo que pudesse verdadeiramente (auto)motivá-los a atingir suas metas. Conversou com cada um deles e descobriu o que era importante (reconhece o *"Meet them before you lead them"* aqui também?).

Maria queria poupar para fazer uma bela festa de casamento. Jorge tinha o sonho de conhecer o Coliseu em Roma. José gostaria de comprar um carro novo para sua esposa e Armando queria levar as filhas para conhecer a Disney. Munido dessas informações, Robert mandou confeccionar porta-retratos com fotos que representassem os sonhos e os objetivos que os membros da sua equipe tinham lhe contado. Uma imagem de uma festa de casamento fabulosa, uma foto do Coliseu em Roma, e assim por diante. Agora eles tinham um propósito muito mais forte do que apenas ganhar dinheiro para atingir suas metas. O resultado? Segundo Robert, todas as metas financeiras foram atingidas naquele ano!

Reforce sucessos passados

Em nossas trajetórias profissionais é comum passarmos por períodos em que duvidamos de nós mesmos, de nossa capacidade, de nosso talento e até questionamos se somos realmente competentes (eu, pelo menos, já tive muitas dessas fases). Por isso é importante, ao perceber alguém desmotivado na equipe, investigar se a pessoa está passando por uma dessas fases. Para ajudar alguém a sair desse ciclo, reforce projetos bem-sucedidos que tenha realizado e tantas outras conquistas que tenha atingido até o momento. Isso é algo relativamente simples e pode trazer resultados muito positivos. Aqui vai uma dica: use essa estratégia também para se automotivar. Se estiver passando por uma dessas fases, comece a escrever em uma folha de papel seus sucessos passados, projetos exitosos que liderou ou em que fez parte da equipe. Esse é o meu remédio para sair dessas fases!

Estimule a inovação encorajando erros!

Eu sou da opinião de que, em muitas situações, é melhor errar sabendo o que ocorreu e aprender com esse erro do que acertar por acaso e não aprender nada com essa experiência. Indo além, acertar por acaso pode ser muito danoso, pois não permite desenvolver habilidades

100   O líder alfa

que somente com os erros é possível conseguir. Além disso, a pessoa que acerta por acaso pode acreditar na falsa ideia de que tem certas habilidades, mas, na verdade, não as possui e, da próxima vez, pode descobrir isso da pior maneira possível. No livro *Antifragile: Things That Gain from Disorder* (Random House, 2013), Nassim Nicholas Taleb apresenta um conceito interessante em relação a aprender com os erros.

Segundo Taleb, quando pensamos no termo que significa o contrário de frágil, logo nos lembramos de forte, robusto, resistente ou resiliente. Se, porém, considerarmos que o frágil é aquilo que a princípio piora (quebra, rompe ou deforma) quando submetido a algum tipo de pressão de algum agente externo, então o seu oposto deveria ser algo que melhorasse quando exposto à situação semelhante.

Isso não ocorre nem com o forte, o robusto, o resistente ou o resiliente, pois não necessariamente melhoram quando expostos a algum tipo de estresse. Se eles não se quebram, ao menos até determinado limite, também não se aprimoram.

É nesse contexto que se aplica o conceito de antifragilidade: coisas que melhoram com a desordem, como diz o próprio subtítulo do livro.

No corpo humano, temos um exemplo do conceito de antifragilidade. Nosso sistema imunológico é antifrágil porque, quando atacado, não só resiste ao ataque, mas também, se não houver fatalidade, torna-se mais resistente, ou seja, melhora.

Isso ocorre porque, em determinados sistemas, a fragilidade das partes é justamente necessária para a construção da antifragilidade do todo. Dessa forma, seguindo os preceitos de Darwin, uma célula morre para que um organismo sobreviva, assim como uma geração padece para que a espécie como um todo tenha mais chances de sobreviver e se multiplicar.

O mesmo ocorre no mundo corporativo: a aviação comercial, por exemplo, é antifrágil e teoricamente melhora a cada acidente, porque, quando um avião cai, as falhas são analisadas e a segurança é reforçada (se você tem medo de avião como eu, não se preocupe porque o risco de um acidente de avião é de 1 em 14 milhões). No mercado financeiro, no entanto, a dinâmica é diferente: se um banco quebra, ele afeta os demais. Os efeitos são sistêmicos, cumulativos e, por fim, podem ser desastrosos.

Embora essa descrição mostre que ser antifrágil tem mais vantagens do que ser forte ou robusto, nossa tendência natural é a de tentar eliminar esses eventos de nossa vida. Pois, se são as agressões externas que dão mais consistência ao antifrágil, o pior que se pode fazer é protegê-lo desses ataques. É por isso, também, que as empresas se

102   O líder alfa

enfraquecem durante longos períodos de estabilidade, pois as pequenas vulnerabilidades se acumulam sob a superfície. Nessa lógica, pode parecer um conceito estranho, mas às vezes é melhor deixar uma crise acontecer agora e ser proativo ao lidar com ela do que "empurrar uma situação com a barriga", esperando que ela nunca se transforme em uma crise.

Sem a hostilidade de um ambiente aleatório, sem excessiva proteção, o antifrágil não tem como aprender, reforçar-se, melhorar, evoluir. E nada pior para evitar o acaso do que as tentativas de fazer previsões. As previsões podem ser excelentes, exceto quando não são. Em outras palavras, quando não ocorrem do jeito que previmos. Até porque nosso histórico em prever eventos raros e significativos em política, economia e negócios é muito desanimador.

Vejamos um exemplo de como prevenir grandes desastres, construindo uma usina nuclear. Pensa-se no pior cenário possível, como um terremoto de intensidade 7 na escala Richter, o mais forte já ocorrido na região. A instalação é construída, então, para resistir a essa magnitude de acidente.

No entanto, antes de ocorrer um terremoto dessa magnitude, pode ter havido outro de intensidade 5 ou 6, mas que foi o mais forte até então. Se, antes do terremoto de escala 7, tivessem construído uma usina para resistir ao mais forte terremoto até o momento (o de magnitude 6), ela teria desmoronado com o de magnitude 7. E, assim, a falha no processo é repetida sistematicamente.

Tendo em vista que é impossível alcançar a "fortaleza perfeita", precisamos construir sistemas que se regenerem por meio da ação de eventos aleatórios, choques imprevisíveis, estressores e volatilidade. Contudo, jamais proteger o sistema dos ataques previsíveis, ou ele não conseguirá se reforçar para se defender dos imprevisíveis. Evitar os pequenos erros torna os grandes ainda mais perigosos. É como nunca deixar uma criança cair no chão ao começar a andar. Se você nunca deixar uma criança cair e aprender como se levantar, um dia ela se tornará um adulto que não saberá se levantar depois de cair.

Bem, todo esse discurso serve para reforçar um simples conceito: erros podem ser muito bons para você e para sua equipe!

Encontre algo que estejam fazendo bem

Esta é uma estratégia recomendada por consultores como Brian Tracy, Kenneth Blanchard e Spencer Johnson, e funciona muito bem. Eu tinha um chefe que sempre achava algo para criticar em qualquer projeto que eu apresentava. A tarefa podia estar 99% correta, mas ele não se cansava

104   O líder alfa

até encontrar esse 1% fora de seu padrão. Depois de alguns projetos assim, como você imagina que estava a minha automotivação?

Não estou defendendo aqui que devamos ser lenientes e aceitar um trabalho inferior ao que um membro da nossa equipe pode apresentar. Identificar os *gaps* dos nossos subordinados também é tarefa importante do líder, porém isso deve ser levado para o contexto de uma conversa de desenvolvimento, como uma sessão de feedback, por exemplo. A ideia aqui é de que, para inspirar e energizar alguém para que se automotive, você precisa achar algo que ele esteja fazendo bem e reconhecer isso, nem que seja o caso em que 99% do projeto estejam errados e apenas 1% esteja correto. Você, como um líder inspirador, deve "caçar" esse 1% correto.

Lembro-me de um projeto de estatística aplicada a negócios que tive de fazer na época do meu MBA. Um dos integrantes do meu grupo, o Toshi, tinha mestrado em Estatística, porém não tinha tanta fluência em inglês (ele era japonês). Então, resolvemos dividir as tarefas da seguinte maneira: o Toshi obviamente ficaria com a parte mais complexa dos cálculos, outros dois integrantes do grupo com a parte de pesquisa e eu e os dois colegas restantes do grupo nos encarregaríamos da parte escrita e da apresentação final do projeto para a classe. Mesmo a parte escrita era tão complexa que não tínhamos ideia do que estávamos fazendo.

Quando fomos apresentar nossa parte do projeto para o Toshi, ele olhou bem, procurou as palavras em inglês com cuidado e disse: "*Maybe this is not so right, but the text is well written*" (Talvez isso não esteja tão certo, mas o texto está bem escrito). Talvez isso não esteja tão certo? A verdade é que estava tudo errado, mas o Toshi buscou algo que estávamos fazendo certo – a maneira de escrever (o que obviamente era totalmente irrelevante para aquele projeto!).

Crie uma cultura de feedback direto e transparente

Um fator que quase sempre desmotiva é não ter clareza de seu desempenho. Muitos líderes evitam dar feedback e, quando o fazem, os comentários são gerais e muitas vezes não são diretos e transparentes. Em uma série de workshops que ministrei em vários países para uma empresa do setor de bens de consumo, eu fazia a seguinte pergunta para os executivos: "Por que muitos líderes evitam dar feedback e, quando o fazem, o feedback nem sempre é direto e transparente?". A princípio as respostas indicavam simplesmente falta de tempo, mas, quando me aprofundei na questão e tentei "tirar" deles a verdadeira causa, outra resposta veio à tona: muitos líderes evitam dar feedback direto e transparente porque não querem lidar com uma possível situação desagradável com um de seus subordinados. Por isso, mantêm a conversa, quando há, em termos gerais e superficiais.

A melhor maneira para criar uma cultura de feedback direto e transparente é estimular que os membros de sua equipe deem feedback sincero para os outros colegas e principalmente para você como líder. Mostre que também tem pontos a desenvolver e que o feedback honesto deles o ajudará a melhorar como líder. Em outras palavras, o líder não precisa passar uma imagem de invulnerável; pelo contrário, ao mostrar que também tem suas falhas, você se conectará ainda mais com sua equipe.

Capítulo 4

Aja como um líder

C ientistas da Universidade da Califórnia (UCLA), em Los Angeles, isolaram em laboratório um grupo de macacos do tipo Vervet para conduzir um experimento. Os macacos Vervet se organizam em uma clara estrutura hierárquica na qual existe um macho alfa, que é o líder do grupo, e depois existe um primeiro nível de "subordinados", um segundo nível, e assim por diante.

Quando os cientistas mediram o nível de serotonina nesses macacos, descobriram que o macho alfa possuía o nível mais alto desse neurotransmissor e que os macacos que estavam nos níveis mais baixos da hierarquia (os mais "juniores") possuíam o nível mais baixo de serotonina.

Com esses dados, os cientistas retiraram o macho alfa daquele ambiente e deram uma substância para um dos

110 O líder alfa

macacos de nível inferior na hierarquia que aumentou o nível de serotonina em seu cérebro (essa substância era um remédio antidepressivo, mais popularmente conhecido como Prozac). Após algumas semanas, o macaco que recebeu a substância começou a se comportar de maneira diferente. Esse novo modo de agir era muito parecido com a maneira de agir do macho alfa do grupo (aquele que havia sido retirado do ambiente no início da experiência). Aos poucos aconteceu algo incrível: tanto as fêmeas quanto os outros macacos do grupo começaram a reconhecer aquele macaco como o novo macho alfa e, portanto, como líder do grupo.

Esteja ciente de que, se quer ser um líder, as outras pessoas precisam reconhecê-lo como tal e para isso você precisa se comportar como um líder, independentemente do seu cargo ou da sua posição. (Não! Você não precisa tomar Prozac!) Indo além, se tiver de convencer alguém de que é o líder... então você *não* é o líder!

Nos capítulos anteriores, abordei os conceitos que lhe farão *pensar* como um verdadeiro líder. Na próxima sessão, veremos o que você deve fazer para *agir* como um líder efetivo. Assim estará mais bem posicionado para desenvolver o seu instinto de liderança.

Normalmente, imaginamos o líder como alguém que pensa nas estratégias, que provê direcionamento, que inspira, que é visionário etc. Tudo isso é verdade, porém, um verdadeiro líder entende que a visão ou uma estratégia só tem valor se for executada de maneira efetiva e por isso ele não descansa depois de a primeira parte de sua função ter sido cumprida, ele vai além... Para tanto, são necessárias as seguintes habilidades:

- capacidade de execução;

- capacidade de desenvolver pessoas;

- adaptabilidade.

A seguir apresentarei ações específicas para ajudá-lo a entender e desenvolver essas habilidades.

Capítulo 5

Execução é o X da questão

*"A execução das leis é mais importante
do que a criação delas."*

— Thomas Jefferson

No mundo dos negócios, muita ênfase é depositada na importância de acertar a estratégia. Obviamente estratégia é fundamental, mas sem uma boa execução nenhuma estratégia funciona. No livro *The strategy focused organization* (Harvard Business School, 2000), Kaplan e Norton afirmam que 90% de todas as estratégias fracassam em virtude de problemas de execução. Mais do que isso, uma vez que certa estratégia foi empregada, os concorrentes muitas vezes conseguem copiá-la. No entanto, copiar uma boa execução é muito mais complexo. Nas palavras de Richard Kovacevich, ex-CEO do banco norte-americano Wells Fargo e considerado um dos melhores líderes de instituições financeiras de todos os tempos: "Eu poderia deixar nosso plano estratégico no avião que não faria a menor diferença. Ninguém poderia executá-lo...".

No mundo animal existem muitas espécies que criam sofisticadas "construções" como formigueiros, colmeias, ninhos etc. Contudo, provavelmente o animal mais habilidoso em *executar* uma obra seja aquele animalzinho que vemos nos desenhos animados roendo árvores e construindo diques – o castor. Esse mamífero vive perto de rios e lagos e realmente está sempre roendo árvores que, ao caírem, formam os diques, que funcionam como uma barragem para diminuir o fluxo da água. Dessa maneira, a correnteza do rio fica mais branda, e o local torna-se perfeito para que construa sua toca. Esses diques também ajudam a natureza controlando possíveis inundações e criando locais mais úmidos que favorecem a vida. Esses animaizinhos fazem sua "casa" com galhos e troncos de árvores e ainda reforçam as paredes com lama e pedras. Uma execução primorosa!

Tem algo mais que os castores "entendem" há milhões de anos. De maneira instintiva, eles sabem que não podem controlar as forças da natureza, como a quantidade de chuva que cairá e que possivelmente poderá transbordar o rio ou o vento que talvez seja intenso em certos dias e danifique suas construções ou o sol forte, e assim por diante. Por isso, concentram-se naquilo sobre o que têm *controle* – fazer excelentes diques. Líderes bem-sucedidos aprendem a se concentrar no que podem controlar e a administrar o que não está sob o controle deles. Elabora-rei esse tema a seguir.

Um método para aprimorar sua capacidade de execução

Concentre-se no que pode controlar

Podemos classificar eventos relacionados a um projeto ou uma tarefa em que estejamos envolvidos de três maneiras:

- aquilo que controlamos;

- aquilo sobre o que exercermos influência;

- aquilo que está fora do nosso controle.

Por exemplo, eu *controlo* quando vou escrever um artigo ou textos para um novo livro. Eu *influencio* as pessoas a lerem meus artigos ou a comprarem meus livros, por meio de entrevistas na mídia, de palestras, anúncios etc. Contudo, *não controlo* as vendas dos meus livros. As pessoas comprarão ou não os livros se tiverem vontade. Esse é um conceito simples, mas a grande dificuldade é saber classificar as situações corretamente.

118 O líder alfa

Muitos de nós investimos energia tentando atuar em coisas que não controlamos, o que, além de gastar tempo precioso inutilmente, causa muita frustração. As pessoas que conseguem executar bem seus planos, suas tarefas ou seus objetivos são aquelas que concentram toda a energia no que controlam e podem influenciar e aprendem a administrar o que está fora do controle delas.

Para ajudá-lo de maneira prática a se beneficiar desse conceito, em uma folha de papel desenhe três círculos conforme a figura da página a seguir e classifique os eventos ligados à execução de um projeto de acordo com a categoria de cada círculo. Após esse mapeamento, questione-se se cada item está no círculo correto.

Uma confusão comum é colocar coisas que você não controla no seu círculo de influência. O seu círculo de influência pode e deve aumentar à medida que se tornar um líder mais efetivo e conseguir exercer mais influência nas pessoas, porém muito cuidado para não confundir influência com controle.

Voltando ao meu exemplo da venda dos livros, quanto maior minha capacidade de influenciar as pessoas e quanto mais pessoas puder influenciar, mais chances terei de vender livros, mas, por mais influência que eu exerça em potenciais leitores, jamais poderei controlar a compra de meus livros (se está lendo este livro é porque o comprou por livre e espontânea vontade ou o ganhou de presente, correto?).

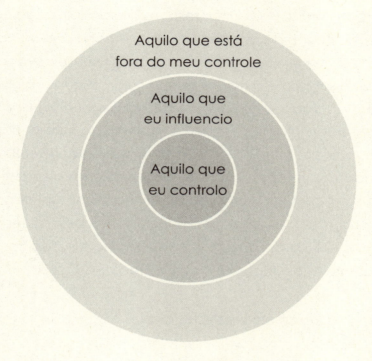

Arregace as mangas

Essa parte do método é muito simples e fácil de aplicar. Basta que você realmente arregace as mangas e se envolva na execução dos projetos. Obviamente, à medida que assume mais responsabilidades em uma organização, menos tempo terá para acompanhar os detalhes de vários projetos (já falamos anteriormente das consequências do

120 O líder alfa

microgerenciamento), mas não caia na falácia de que a função do líder não envolve execução das estratégias.

Como líder, você é tão responsável pela criação como pela execução da estratégia, então, mesmo que não coloque a mão na massa por uma razão ou outra, deve se envolver o suficiente a fim de se certificar de que sua equipe está preparada e possui os recursos apropriados para implementar o plano de maneira efetiva. No livro *O código da liderança* (Best-Seller, 2009), David Ulrich apresenta o resultado de uma pesquisa feita com centenas de líderes de diversas indústrias e funções que tinha como objetivo mapear os principais atributos dos líderes mais bem-sucedidos. A conclusão é de que os líderes mais bem-sucedidos globalmente se destacam em cinco áreas:

1. são excelentes estrategistas;

2. são executores efetivos;

3. sabem desenvolver sua equipe;

4. preocupam-se em identificar os talentos que serão a próxima geração de líderes;

5. trabalham continuamente em sua eficácia pessoal, ou seja, seu autodesenvolvimento.

Como podemos observar, uma dessas áreas que apareceu na pesquisa de Ulrich é justamente a *capacidade de execução*.

Seja um bom seguidor

Como poderá dar instruções para outros executarem algo se você mesmo não sabe seguir? Faça uma análise sincera de como se ranquearia nesse quesito – o que você faz bem e o que poderia melhorar. Peça também a outras pessoas que lhe ranqueiem nisso e inclua essas considerações na sua avaliação final, principalmente no sentido de que ações precisa tomar para desenvolver as suas debilidades e se tornar um melhor "seguidor". Depois de aprender os fatores que o tornariam um melhor "seguidor", você terá uma base mais sólida em relação aos critérios e ao eventual plano de ação que poderá sugerir a fim de ajudar os membros de sua equipe a se tornarem melhores "seguidores" e, consequentemente, executar melhor os projetos que estão sob a sua supervisão.

Monte equipes sinergéticas

Sinergia é uma palavra que muitos executivos usam a torto e a direito no mundo dos negócios e, por isso, muitas

122   O líder alfa

vezes é banalizada. A verdadeira sinergia é quase um milagre e um conceito que pode ser claramente observado na natureza. No livro *A terceira alternativa: resolvendo os problemas mais difíceis da vida* (Best-Seller, 2012), Stephen Covey nos fornece brilhantes exemplos de sinergia na natureza. As sequoias, por exemplo, entrelaçam suas raízes para se proteger dos fortes ventos e chegar a alturas inacreditáveis. Algumas espécies passam dos cem metros de altura. Sem essa sinergia entre suas raízes, essas árvores não conseguiriam atingir esse tamanho.

A sinergia formada pelos liquens que unem algas verdes e fungos é o que propicia que essas espécies colonizem e prosperem sobre a superfície nua de uma rocha. As aves, que voam em formação em V, alcançam distâncias duas vezes maiores do que um pássaro que voa sozinho. Isso se deve a uma corrente de ar ascendente criada pelo bater de asas das aves.

No entanto, se você é daqueles que gostam de números para comprovar algum conceito, acompanhe esta conta e veja o "milagre" da sinergia se manifestando.

Uma barra de ferro consegue suportar 22,5 PSI (do inglês, *pounds per square inch*, que significa libras por polegada quadrada). Qualquer pressão acima disso a romperá. Uma barra de cromo do mesmo tamanho consegue aguentar até 26 PSI e uma barra de níquel resistirá até cerca de 30 PSI. Se fundirmos essas três barras e criarmos uma liga desses metais, a conclusão lógica seria a de que essa liga metálica suportaria até 78,5 PSI (22,5 + 26 + 30), correto? Errado!

A primeira vez que vi isso, achei que essa conta estava errada, porém por outro motivo, pois pensei que essa liga metálica só poderia suportar 30 PSI que era o valor da barra mais resistente e não 78,5 PSI. Contudo, eu também estava completamente errado! Se combinarmos ferro, cromo e níquel em determinadas proporções, a barra de metal resultante é capaz de suportar 112 PSI. Em outras palavras, a combinação desses metais criou uma força adicional de 33,5 PSI ou 43% a mais do que as barras separadas. Isso é sinergia!

Lembra-se do exemplo do meu grupo no MBA? Ali existia claramente uma equipe sinérgica, porque havia competências complementares entre os membros do grupo – forte habilidade quantitativa do Toshi, minha habilidade de fazer apresentações, anos de experiência em consultoria de gestão de outro integrante do grupo, e assim por diante. Além disso, era um grupo bem diverso com pessoas de diferentes países, culturas, religiões etc. Essa combinação de indivíduos criava um valor mais alto do que a soma do valor de cada indivíduo.

Estabeleça claramente "quem faz o quê"

Como responsável pela execução de uma estratégia ou de um projeto, você precisa definir claramente quem deve realizar cada função para que não haja confusão, o que ocorre, às vezes, em partidas de vôlei. Dois jogadores do mesmo time estão posicionados em uma parte da quadra esperando para defender a bola que foi sacada pelo time adversário. A bola se aproxima rapidamente. Um dos jogadores pensa que seu colega está mais próximo da bola e que *ele* vai rebater a bola. Com isso esse jogador fica parado. O outro, por sua vez, tem a mesma percepção e *também* fica parado. O resultado? A bola cai na quadra gerando um ponto para a equipe adversária. Um clássico momento de "deixa que eu deixo"! No mundo corporativo isso também ocorre, e por isso é fundamental que as tarefas e as responsabilidades dos membros da equipe estejam claramente definidas para alcançar efetividade na execução.

Tudo é culpa sua

Quando há uma falha na entrega de um projeto ou na execução de uma estratégia, não importa se foi causada direta e exclusivamente por um dos membros da sua equipe, a culpa pelo fracasso do projeto é sempre sua!

Execução é o X da questão **125**

Permita-me reproduzir o conteúdo de um texto que escrevi em novembro de 2012 para o site da *Harvard Business Review Brasil* e que explicará melhor o que quero dizer.

No clássico filme para crianças da Pixar, Vida de Inseto, Hopper, o líder dos gafanhotos, invade o formigueiro para demandar a comida que as formigas deveriam ter separado para ele e seu bando. Pouco antes da chegada dos gafanhotos, a comida que era para eles estava perfeitamente separada em um local seguro, porém Flik, uma formiga-macho desajeitada, causou um acidente no local e todos os grãos que haviam sido separados para os gafanhotos foram perdidos. Hopper se dirigiu à nova líder das formigas, a princesa Atta, exigindo uma explicação. A princesa, confusa e com medo, começou a explicar que a culpa não era dela e que a comida estava lá, mas o Flik... Hopper a interrompeu bruscamente e furioso disse: "Princesa Atta, aprenda a primeira regra da liderança: Tudo é culpa sua!".

O personagem Hopper definiu de maneira magistral a essência da liderança, que não necessariamente tem a ver com a palavra "culpa", mas com responsabilidade. De forma clara, na situação descrita, a princesa Atta realmente não tinha "culpa" direta pelo que aconteceu, pois o acidente foi causado

126   O líder alfa

pelo Flik sozinho, mas, sendo a líder das formigas, qualquer ato praticado por um de seus "subordinados" está sob a sua responsabilidade e, portanto, a resposta dela ao gafanhoto não era aceitável.

No mundo real é relativamente comum observar esse tipo de comportamento em "líderes" que, quando as coisas estão indo bem na empresa, assumem 100% da responsabilidade pelos resultados, mas, quando o cenário é negativo, começam a colocar a responsabilidade ou a "culpa" de tal cenário na baixa performance da equipe comercial, no diretor financeiro que não aprovou uma verba de marketing, no governo, na economia.

O general da aeronáutica norte-americana, Curtis Lemay, disse certa vez que, se ele fosse definir liderança em uma única palavra, seria responsabilidade. Quando um líder assume total responsabilidade pelos resultados do grupo que lidera, sejam positivos ou negativos, automaticamente envia uma mensagem para os seus subordinados de que todos estão no mesmo barco e que, aconteça o que acontecer, podem confiar que aquele líder será o último a abandonar o barco. Independentemente do seu cargo, assumir a responsabilidade de ajudar a resolver problemas em uma corporação, mesmo em *casos dos quais sem dúvida não participou, direta ou indiretamente, é o primeiro passo para desenvolver uma verdadeira trajetória de liderança.*[1]

---

[1] O artigo pode também ser lido em: <http://www.hbrbr.com.br/post-de-blog/primeira-regra-da-lideranca-tudo-e-culpa-sua>. Acesso em: 3 de junho de 2014. (N.E.)

Capítulo 6

Expanda sua liderança

"Desenvolva para dar autonomia...
dê autonomia para desenvolver."

— Renato Grinberg

O diretor financeiro de uma grande empresa se aproximou do presidente e disse: "Estamos gastando muito com o desenvolvimento das competências dos nossos funcionários. Desse jeito eles vão ficar muito qualificados e vão acabar arrumando trabalho em outra empresa". O presidente olhou bem para ele e respondeu: "É verdade... mas a outra alternativa é muito pior... já pensou se *não* desenvolvemos nossos funcionários e eles acabem permanecendo na nossa empresa?".

Desenvolver e dar autonomia a seus subordinados é a única maneira de realmente expandir o alcance e a efetividade de sua liderança. Muito se discute sobre a importância de delegar tarefas para conseguir lidar com as demandas incessantes do dia a dia corporativo, porém não é possível delegar de maneira apropriada se não há

132   O líder alfa

um trabalho sério e comprometimento verdadeiro do líder em desenvolver os membros de sua equipe. O segredo aqui é desenvolver para dar autonomia, e dar autonomia para desenvolver.

Na natureza, também podemos observar essa característica em animais como os lobos. Como apresentei no começo do livro, mesmo possuindo um líder alfa como em outros grupos de animais, os lobos se distinguem da maioria das outras espécies porque apresentam um tipo de liderança compartilhada. Em muitas ocasiões, a fêmea alfa divide a liderança da matilha com o macho alfa, e, ainda, outros membros do grupo, em geral seis ou sete deles, podem assumir a posição de líder da matilha temporariamente. Isso os deixa preparados para, caso haja necessidade, assumirem definitivamente essa função. Ou seja, os lobos, de alguma maneira instintiva, "sabem" que é necessário desenvolver para dar autonomia e dar autonomia para desenvolver.

Agora, vou contar uma história que adaptei do livro *O gerente minuto* (Record, 2004), de Kenneth Blanchard e Spencer Johnson.

Giba, um experiente gerente de uma fábrica de parafusos de um grande conglomerado industrial, era considerado por todos um profissional exemplar. Giba estava

Expanda sua liderança **133**

sempre a par de tudo o que acontecia em sua fábrica e, quando se tratava de resultados, estava muito à frente dos gerentes das outras fábricas. Sua operação apresentava alta produtividade, baixo nível de absentismo, custos baixos por unidade produzida, e assim por diante. Realmente era uma operação exemplar.

Havia, porém, uma única métrica em que os números não pareciam favoráveis para Giba. Sua fábrica tinha o maior índice de *turnover* (índice que mede a quantidade de funcionários que deixam a empresa de maneira voluntária ou involuntária). *Turnover* alto normalmente representa problemas sérios. Se for voluntário, significa que os funcionários não estão satisfeitos onde estão. Isso pode ocorrer por inúmeras razões, como salários mais baixos que os da concorrência, ambiente de trabalho ruim, falta de liderança etc. Se for involuntário, ou seja, se as pessoas estão sendo despedidas, significa que o desempenho está abaixo do esperado ou a empresa não está atingindo suas metas financeiras.

No caso da fábrica de Giba, o *turnover* era voluntário. Mas como? Os salários eram compatíveis com a concorrência, o ambiente de trabalho era elogiado por todos nas pesquisas de clima que eram conduzidas todos os anos e Giba era um gerente respeitado por todos. "Um verdadeiro líder" era o elogio que mais se ouvia de seus funcionários e

134   O líder alfa

ex-funcionários, que atualmente eram colegas dele como gerentes de outras fábricas.

Por que, então, havia essa alta rotatividade de funcionários na fábrica administrada por Giba? A resposta é simples. Giba era um verdadeiro líder e como tal concentrava grande parte de seu tempo e sua energia desenvolvendo os membros da sua equipe e dando autonomia para continuarem a evoluir. Esses funcionários se desenvolviam rapidamente, eram promovidos e, assim, assumiam posições de gerência em outras fábricas do conglomerado. Giba não administrava apenas uma fábrica de parafusos... ele havia criado uma verdadeira fábrica de líderes.

Muitos especialistas dizem que o maior ativo da General Electric, do lendário ex-CEO Jack Welch, não está em nenhuma de suas fábricas ou nos equipamentos que produz, mas sim na capacidade da empresa de formar líderes.

Hoje, produtos, equipamentos, serviços e qualquer tipo de tecnologia, por mais revolucionária que seja, podem ser facilmente copiados. Quantos smartphones existem no mercado que funcionam com tecnologia e qualidade muito similar ao revolucionário iPhone? Você pode até preferir usar o iPhone (eu prefiro!), mas os números de vendas mostram que cada vez mais outras marcas, como a Samsung, ganham mais e mais espaço no mercado com os seus smartphones.

Na verdade, em 2013, a Samsung vendeu três vezes mais smartphones do que a Apple. Uma empresa que desenvolve uma tecnologia revolucionária tem, sem dúvida, grandes vantagens e, há quinze ou vinte anos, poderia usar esse avanço tecnológico como clara vantagem competitiva. A situação, porém, mudou e agora, tecnologia revolucionária já não pode mais ser considerada uma vantagem competitiva sustentável. O caso do iPhone é uma prova disso. Contudo, uma "fábrica de líderes", isso, sim, pode ser considerado uma vantagem competitiva sustentável.

Um método para desenvolver sua equipe

Esqueça os próprios interesses

Pense como se a única métrica de sucesso que existisse fosse o sucesso dos membros da sua equipe. Como você agiria nesse cenário? Com certeza dedicaria mais tempo e energia a essa função. Pois é assim que você deve pensar para se tornar um verdadeiro desenvolvedor de pessoas. Paradoxalmente, quando se concentra em desenvolver os outros, começa a atingir mais resultados para você mesmo, pois, desenvolvendo sua equipe, expande seu alcance e sua capacidade de execução. Ou seja, no final, você é o maior beneficiado.

Esse conceito também se aplica a diversas outras situações, como no mundo das vendas. Os profissionais de vendas mais bem-sucedidos não são aqueles que pensam em vender mais, mas, sim, aqueles que pensam em como genuinamente atender melhor às necessidades de seus clientes, mesmo que em certos casos isso signifique não vender nada para aquele cliente ou para algum *prospect*.

Certa vez, recebi uma proposta para realizar uma série de palestras para uma grande instituição brasileira. Os honorários oferecidos e a quantidade de palestras tornavam o projeto extremamente atraente. Só tinha um problema, o contratante queria palestras com o tema negociação, um assunto no qual não me considero um *expert*.

Sendo bem honesto, na hora pensei: "Bom, eu não sou um *expert* nisso, mas posso pesquisar o assunto e adaptar minhas palestras. Assim fecharei o negócio!". Eu não estava pensando na necessidade do cliente e sim na minha, que era fechar um projeto bem lucrativo. No entanto, depois de refletir mais profundamente sobre a questão, concluí que deveria recusar o projeto. Negociação não é um tema sobre o qual tenha domínio suficiente a ponto de palestrar. E se aceitasse o projeto não estaria servindo bem às necessidades da instituição contratante e principalmente das pessoas que assistiriam a essas palestras (foi uma decisão difícil, porque a parte financeira era realmente muito boa!).

Bem, você deve estar esperando que eu termine esta história contando que a instituição me ligou alguns meses depois me oferecendo um projeto ainda mais lucrativo, dentro da minha área de *expertise,* e assim por diante, correto? Adoraria contar essa versão, mas na realidade isso não aconteceu. Contudo, recusar aquele projeto não foi somente a decisão certa sob o ponto de vista da necessidade do cliente, mas também evitou que arriscasse minha credibilidade como palestrante, o que me causaria um prejuízo infinitamente maior do que o eventual lucro com qualquer projeto isolado, por mais bem pago que fosse.

Empower

Nossa adaptação do verbo inglês *empower* seria empoderar ou "dar autonomia". Antes de dar autonomia a alguém, é necessário se certificar de que a pessoa tem a capacidade para realizar aquela tarefa. Ou seja, o líder desenvolve a pessoa, diagnostica em que estágio de desenvolvimento ela está, delega a tarefa apropriada para o nível, dá autonomia para que realize a tarefa e atua como um coach para ajudá-la a ter êxito na tarefa.

Parece relativamente simples, não? Pois na prática isso nem sempre acontece. Muitos pseudolíderes acham que delegar é passar para a equipe tarefas menos importantes ou que não querem fazer. Quando delegam uma tarefa mais relevante, eles querem que a pessoa execute exatamente da mesma maneira que fariam e, portanto delegam, mas não dão autonomia. Ou, ainda, há casos em que passam projetos que estão muito acima da capacidade atual do seu subordinado e, por consequência, a pessoa não se sente confortável em ter autonomia para realizar aquela tarefa.

Para empoderar, ou dar autonomia a alguém de maneira apropriada, é necessário entender que o projeto pode estar em um nível acima da zona de conforto, o que se chama "*stretch goal*" (algo como um "objetivo para expandir a capacidade"), porém, não pode ser tão desafiador que leve a pessoa para uma "zona de pânico".

Veja o gráfico a seguir que ilustra esse conceito.

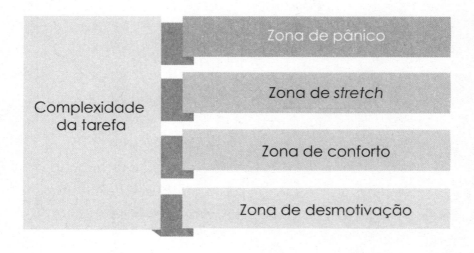

Zona de pânico – um projeto extremamente desafiador e para o qual não se tem as competências necessárias. Eu chamo esses projetos de "divã do analista", pois a pessoa terá de fazer terapia depois de ter passado por essa experiência.

Zona de *stretch* – um projeto desafiador e que está um pouco acima da capacidade atual de quem vai realizá-lo. Eu chamo esses projetos de **"sessão de ginástica"**, pois a pessoa se sentirá bem consigo mesma, como se tivesse acabado de sair da academia.

Zona de conforto – um projeto rotineiro, razoavelmente simples, mas relevante para a empresa. Eu chamo esses projetos de "ordinários". O título já é autoexplicativo.

Zona de desmotivação – um projeto muito simples e sem relevância para a empresa e para o desenvolvimento da pessoa. Eu chamo esses projetos de "Facetube". Uma mistura de Facebook com Youtube, pois a pessoa ficará o tempo todo nesses sites.

Aumente a autoconfiança da sua equipe

Já perdi a conta de quantas pessoas conheci que eram altamente qualificadas e competentes, mas que por falta de autoconfiança progrediam mais lentamente do que pessoas menos qualificadas e competentes, mas que apresentavam alto grau de autoconfiança.

Lembra-se de quando aprendeu a andar de bicicleta? Se você é como a maioria das pessoas, primeiro andou com aquelas maravilhosas rodinhas de apoio. Depois de um tempo tirou uma das rodinhas. Logo se sentiu seguro para tirar a outra rodinha. Daí, alguém o ajudou a andar sem as rodinhas segurando-o por trás da bicicleta. Provavelmente você levou alguns tombos estando em baixa velocidade e em terrenos mais seguros. Com o tempo foi construindo sua autoconfiança para pedalar sozinho, acelerar, descer e subir ladeiras, e assim por diante. Procure construir a confiança dos membros da sua equipe da mesma maneira que as pessoas aprendem a andar de bicicleta, ou seja, delegando projetos cada vez mais desafiadores, mas com a ajuda e a segurança necessárias para que possam cair, porém sem se "ralar" por inteiro.

Crie e mantenha um ambiente positivo

É responsabilidade do líder criar e manter um ambiente harmonioso e positivo para que as pessoas tenham todas as condições de desempenhar suas funções da melhor maneira possível. Não ignore sinais de desavença entre os

Expanda sua liderança **141**

membros da equipe. Ao primeiro sinal de que algo pode perturbar esse ambiente de harmonia, aja com rapidez e veemência. Achar que os problemas que ocorrem entre as pessoas (e tenha certeza de que mais cedo ou mais tarde vão ocorrer) vão se dissipar sozinhos é o mesmo que, se me permite a referência ao célebre discurso "Use filtro solar", de Mary Schmich, que ficou conhecido no Brasil na voz de Pedro Bial, "mascar chiclete para resolver uma equação de álgebra".

Deixe-os errar

Não existe maneira mais efetiva de aprender algo e reter a informação do que vivenciar uma experiência e aprender com os próprios erros. Dessa maneira, o aprendizado vai além do nível intelectual apenas. Usando mais uma vez minha analogia da bicicleta, você aprendeu a andar de bicicleta lendo um manual? Estou certo de que não. Você aprendeu experimentando, testando, caindo e levantando.

Se você tem filhos pequenos, sabe que não adianta falar certas coisas como "não pule no sofá" ou "não puxe o rabo do Totó". Apenas quando levarem um tombo do sofá ou quando o Totó der uma mordidinha neles é que realmente aprenderão o que você quer dizer.

142   O líder alfa

A própria natureza aprende por tentativas e erros. Algumas espécies sofrem mutações benéficas que as ajudam a sobreviver. Outras mutações são menos vantajosas e podem levar uma espécie à extinção. A boa notícia é que os membros da sua equipe não precisam fracassar em um grande projeto para que aprendam e se desenvolvam. Esse processo pode ser muito mais tranquilo. Para isso, siga as recomendações a seguir.

- Não os poupe de pequenos fracassos em tarefas menos relevantes que obviamente não comprometerão o resultado final de um grande projeto. Se seus subordinados estão com dificuldade em comunicar algo em uma reunião, não fale por eles. Deixe que vivenciem essa situação, pois dessa maneira aprenderão de modo mais efetivo e duradouro a importância de se preparar adequadamente para reuniões.

- Esteja disponível para conversar com eles quando esses pequenos fracassos ocorrerem. Essa conversa deve ocorrer não em um tom de "eu te avisei", mas, sim, ajudando-os genuinamente a entender por que essa situação ocorreu. Concentre a conversa no que deve ser feito para que isso não ocorra novamente. Por fim, reforce a ideia de que foi positivo ocorrer determinada situação em um contexto menos importante, pois daqui para a frente, tomando as devidas precauções e colocando em prática um plano de ação, a probabilidade de que ocorra novamente será muito menor.

- Não resolva os problemas que eles lhe trouxerem e resista à tentação de dar sua opinião logo no começo. Faça perguntas que os encoraje a pensar mais a fundo sobre o problema em questão para que possam encontrar uma solução por si mesmos. Somente depois de receber algumas ideias de como solucionar o problema, dê sua opinião e, se necessário, até possíveis opções para resolvê-lo. No entanto, é importante que não assuma a responsabilidade de resolver o problema. Essa responsabilidade deve permanecer com eles. Obviamente, se a situação for muito importante e urgente, não será possível adotar essa postura, mas isso deve ser a exceção, e não a regra.

Aplique a "teoria do balão"

Um problema que ocorre frequentemente com quem assume uma posição de comando é o medo de que algum dos seus subordinados possa se desenvolver, destacar-se e "tomar" sua posição. Esse é um pensamento clássico de

144 O líder alfa

um pseudolíder, porém não subestime a possibilidade de ter esse pensamento em um momento ou outro.

Para se proteger desse medo, aplique o que eu chamo de "teoria do balão". Se não conseguir desenvolver os membros da sua equipe, eles se transformarão em "bolas de ferro" que o manterão onde está ou até mesmo o puxarão para baixo. Para avançar na hierarquia das empresas, um dos principais critérios é a habilidade de formar outros líderes. Além disso, outro critério simples e bem objetivo é: Existe alguém na equipe que possa ser promovido para assumir a posição do líder? Se a resposta for não, as chances de promoção diminuem consideravelmente, ou seja, nesse caso, os subordinados se transformaram em verdadeiras "bolas de ferro" segurando-o onde está.

Ao contrário desse cenário, se você investir tempo e energia para desenvolver os membros da sua equipe, eles se transformarão em "balões de gás hélio", que o levarão para cima junto com eles. Resumindo, a teoria é bem simples: quanto mais pessoas você desenvolver, mais depressa poderá evoluir em sua carreira.

Capítulo 7

Adaptabilidade: uma clara vantagem competitiva

"Não é a mais forte das espécies que sobrevive, nem a mais inteligente, mas sim a mais adaptável à mudança."

— Charles Darwin

Um líder deve estar sempre atento para enxergar e, principalmente, antecipar as constantes mudanças e transformações que ocorrem no mundo corporativo e socioeconômico, buscando maneiras criativas de resolver problemas e estimulando a inovação como uma vantagem competitiva sustentável. Para isso, é necessário ser adaptável, não só para lidar com as mudanças do ambiente externo, mas também para lidar com as diferentes situações internas. Em outras palavras, o estilo de liderança de um profissional não pode ser algo estático, mas sim mutável de acordo com a necessidade.

No mundo animal, a capacidade de mudar de cor e até de forma para se fundir ao ambiente é conhecida como mimetismo. Diversos animais possuem essa capacidade de se adaptar ao ambiente com o objetivo de despistar predadores ou criar armadilhas para emboscar presas. O animal mais conhecido por sua incrível capacidade de mimetismo, imortalizado em diversos desenhos animados, é o camaleão. Portanto, um líder efetivo tem de ser como os camaleões que ficam "verdes", "vermelhos" ou "azuis", de acordo com a situação.

Meia dúzia de estilos + 1

George Litwin e Robert Stringer, professores da Harvard Business School, por anos pesquisaram o comportamento de gestores e concluíram que existem seis principais estilos de liderança. Em uma tradução livre os estilos são: coercivo, autocrático, democrático, modelador, *coach* e participativo. Além desses, quantos mais podem existir? Talvez dezenas ou mesmo centenas. Contudo, para facilitar nossa vida, vou me deter nos seis principais estilos definidos por Litwin e Stringer, porém, com a adição de um estilo. Vejamos a seguir:

1. **Coercivo**: líderes coercivos usam o medo como aliado para que as pessoas façam o que eles querem. O medo de ser repreendido, de ser despedido etc. são suas ferramentas para controlar as pessoas. Esse estilo é usado geralmente em trabalhadores com menos escolaridade e que podem ser substituídos com certa facilidade.

2. **Autocrático**: o líder autocrático é focado nas tarefas e precisa se sentir no controle. Possui visão clara de aonde quer chegar e geralmente dá certa autonomia ao seu grupo para implementar essa visão. Quando, porém, algo ou alguém atrapalha a execução de sua visão, não hesita em agir para implementar uma medida corretiva. Esse líder não é necessariamente um microgerenciador. É comum que dê autonomia aos membros da sua equipe, no entanto, age depressa se as coisas não vão como espera. Esse estilo geralmente funciona melhor em organizações que valorizam a hierarquia.

3. **Democrático**: esse estilo valoriza a opinião dos outros e busca sempre a tomada de decisão por consenso. É um dos estilos que possui uma conotação bem positiva pela questão da democracia, porém tende a funcionar melhor quando a equipe é formada por profissionais mais seniores.

4. **Modelador**: o líder modelador estabelece padrões de desempenho extremamente elevados e dá ele mesmo o exemplo. Busca sempre fazer tudo de um jeito mais adequado e mais rápido, e pede o mesmo de todos ao seu redor. Identifica depressa quem tem desempenho abaixo da média e exige mais deles. O modelador controla o que todos fazem e

estimula a competição interna. Pode funcionar bem com equipes mais juniores, mas tem o risco de gerar problemas de clima em virtude da alta competição que acaba estimulando.

5. **Coach**: o estilo coach procura desenvolver a equipe por meio de questionamentos para que seus membros cheguem às próprias conclusões. Esse estilo requer bastante dedicação e paciência do líder para desenvolver sua equipe e uma visão menos imediatista para alcançar resultados. Tende a funcionar melhor em situações que não dependem de ações tão imediatas.

6. **Participativo**: esse estilo privilegia a boa interação entre os membros da equipe, e o líder dedica grande parte do tempo e da energia para que todos se sintam parte da equipe. Como o estilo democrático, tem uma conotação bem positiva e também tende a funcionar melhor com equipes formadas de profissionais mais maduros.

7. **Camaleão**: estilos como o autocrático e o modelador possuem uma óbvia conotação negativa, porém têm sua função em determinadas situações e com determinadas pessoas. Até mesmo o estilo coercivo pode ter lugar e hora. Os outros três estilos têm

suas vantagens mais claras e obviamente são estilos preferíveis sempre que possível. Nenhum deles, porém, é perfeito. Além disso, existem muitas outras variações de estilos, como influenciador, paternalista etc. O que proponho com o estilo que batizei de camaleão, como o próprio nome sugere, é que o líder adapte o estilo que melhor se encaixe para determinado momento, situação e pessoa. O ponto mais importante aqui é a mentalidade de que é o *líder* que deve se adaptar aos liderados e não somente os liderados ao líder. Como líder camaleão, você deve ajudar seus subordinados a também desenvolver essa capacidade de adaptabilidade para que possam ser melhores seguidores e, consequentemente, melhores líderes no futuro. Tenha muito cuidado com a postura de "eu sou o chefe e os outros é que devem se adaptar a mim". Essa é uma postura típica de um pseudolíder.

O estilo camaleão, que apresento aqui, pode ser associado conceitualmente com o famoso modelo de "Liderança Situacional" desenvolvido por Paul Hersey e Ken Blanchard. Além da óbvia simplificação, a diferença básica é que proponho que o líder camaleão deve também ter como missão desenvolver "subordinados camaleões" que eventualmente se tornarão "líderes camaleões".

Um método para ser mais adaptável

Reconheça que tudo está em constante mudança

Como já disse Heráclito: "A única constante é a mudança". Nosso planeta já passou por incontáveis mudanças, da era glacial à extinção dos dinossauros e do aparecimento do *Homo sapiens* ao surgimento recente de novos vírus e bactérias, todos os dias algo muda. Nossas células são renovadas constantemente e, de acordo com pesquisadores da Faculdade de Medicina da Universidade Stanford, a cada sete anos trocamos *todas* as células do nosso esqueleto. Por isso, simplesmente aceite essa verdade inexorável e pare de tentar evitar as mudanças que ocorrerão na sua vida.

Aproveite a mudança

Há um provérbio chinês que diz: "Quando o vento da mudança sopra, alguns constroem muros e outros constroem moinhos de vento". É comum que mudanças tragam vantagens e desvantagens, porém, se conseguir enxergar essas mudanças com uma visão mais ampla, possivelmente enxergará uma maneira de aproveitar as vantagens e minimizar as desvantagens.

Digamos que na empresa onde trabalha, de uma hora para outra, exija-se que todos os funcionários aprendam um novo idioma. Quando começamos a aprender um novo idioma investimos bastante tempo, que naquele momento talvez pudesse ser usado de maneira mais produtiva, portanto, podemos sentir que de certa forma estamos "perdendo tempo".

No entanto, quando começamos a nos comunicar, ler ou escrever nesse idioma, um novo mundo se abre para nós, o que obviamente tem vantagens imensuráveis. Se, quando estivermos no processo de aprender o idioma, "construirmos muros", mais cedo ou mais tarde desistiremos do curso. Se, porém, construirmos "moinhos de vento", continuaremos firmes no curso, esperando nos beneficiar desse aprendizado.

Lidere a mudança

"A melhor maneira de prever o futuro é criá-lo", Peter Drucker, considerado um dos mais influentes pensadores na área de administração do século XX, costumava dizer isso para seus clientes de consultoria que lhe pediam que

154 O líder alfa

criasse modelos ou estudos que examinassem as tendências do mercado.

Com isso em mente, você deve se tornar um *agente* da mudança e não somente um *observador* das mudanças. Para se tornar um verdadeiro agente da mudança em sua empresa ou em qualquer outro ambiente, você deve não só definir a estratégia da mudança, mas principalmente conseguir executar essa iniciativa.

Trazendo aqui novamente o trabalho de John Kotter, ele identificou oito passos fundamentais para implementar mudanças de maneira bem-sucedida em empresas, os quais apresentarei a seguir.

Antes, porém, de iniciar qualquer processo de mudança, é importante entender claramente a situação atual para que aí, sim, possa definir qual é a situação desejada com a mudança. Já vi muitos processos de mudança falharem simplesmente porque a situação não foi analisada com a profundidade necessária a fim de definir o que era preciso mudar.

Para isso, faça o teste dos "5 porquês" também conhecido como Análise da Causa Raiz (do inglês *Root Cause Analysis* ou RCA). Esses "5 porquês" devem chegar à raiz da situação ou de algum problema.

Digamos que uma das mudanças que queira implementar na sua empresa seja uma política de "zero defeitos" na linha de produção. Então, uma primeira pergunta seria: Por que existem defeitos atualmente? Talvez a resposta seja: porque os funcionários da linha de produção não sabem diminuir os defeitos. Segunda pergunta: Por que eles não sabem diminuir os defeitos? Talvez a resposta seja: porque nunca passaram por um treinamento nessa área. Terceira pergunta: Por que eles não passaram por nenhum treinamento nessa área? Porque seus gestores não achavam importante. Quarta pergunta: Por que os gestores não achavam importante? Porque isso nunca lhes foi comunicado. Por que isso não foi comunicado para os gestores? Talvez a resposta seja: Porque não existe componente do bônus desses gestores atrelado à métrica de redução de defeitos e por isso esse tipo de discussão não aparecia em avaliações de desempenho.

Com esse processo dos "5 porquês" (que não necessariamente precisam ser cinco, podem ser menos ou mais, de acordo com a situação) foi possível identificar que, para essa empresa reduzir o número de defeitos na linha de produção, será fundamental mudar a estrutura de bônus dos gestores. Por isso, analisar para realmente entender a situação lhe dará o embasamento adequado a fim de promover a mudança correta.

Oito passos para implementar uma mudança

Primeiro passo – Crie um senso de urgência

Em diversos workshops que já ministrei apresentando esse modelo, os participantes não consideravam esse passo tão importante e até questionavam por que estava logo no começo da sequência. A verdade é que todos nós temos tantas tarefas para realizar no dia a dia, que, em muitos casos, realizamos somente o que é mais urgente. Por esse motivo é fundamental criar esse senso de urgência em relação à iniciativa de mudança que queira implementar. Além disso, é preciso vencer a inércia natural das pessoas e tirá-las da zona de conforto. Algo que tem de ser realizado com urgência ajuda nessa tarefa.

Segundo passo – Crie a "equipe" da mudança

Ninguém faz nada sozinho. É fundamental que logo no começo do processo você tenha ao seu lado pessoas que serão os "advogados" dessa mudança. Essa equipe, para ser bem-sucedida, precisa ser formada por pessoas que tenham posições de certa autoridade, sejam respeitadas na organização, representem diversos pontos de vista e possuam clara habilidade de liderança.

Terceiro passo – Crie uma visão

Para que a gestão da mudança seja eficiente, é preciso ter clara visão de como será o futuro após a mudança. Essa visão deve servir como inspiração para que as pessoas queiram ver essa mudança. Para isso, é necessário criar uma visão seguindo todos os passos que vimos no Capítulo 2.

Quarto passo – Comunique a visão

Não adianta apenas enviar um comunicado oficial ou mesmo fazer um discurso para anunciar a mudança. Para ser eficaz, a visão deve ser comunicada em atividades com a maior frequência possível. A visão deve ser referenciada em e-mails, reuniões, apresentações, ou seja, deve ser comunicada em todo e qualquer lugar. Ainda mais importante do que dizer, é fazer. Os líderes que querem transformar suas organizações devem se tornar exemplo vivo dessa transformação.

Quinto passo – Dê autonomia

Lembro-me de um grande processo de mudança de sistema pelo qual passei quando trabalhava na Warner Bros. Na época a empresa estava implementando o famoso sistema SAP. Fizemos todos os treinamentos necessários para aprender a lidar com o novo sistema, mas no começo não tínhamos autonomia para usá-lo sem a autorização de alguém do departamento de Tecnologia da Informação.

O que aconteceu? Sempre que possível tentávamos evitar usar o sistema novo porque não tínhamos autonomia. Quando essa regra mudou, ou seja, não precisávamos mais da autorização de alguém de TI, a velocidade com que as pessoas começaram a usar o novo sistema triplicou.

Por isso é importante remover barreiras organizacionais para que a mudança seja implementada e aceita pelo maior número de pessoas. Outra barreira à mudança efetiva podem ser gestores resistentes que não darão autonomia aos seus subordinados. Muitas vezes, esses gestores têm medo de perder poder com a mudança e podem consciente ou inconscientemente minar todo o esforço. Por isso é necessário identificá-los logo no começo do processo e conduzir diálogos abertos e transparentes sobre a necessidade da ajuda deles com a mudança. Caso as conversas não surtam efeito, infelizmente esses profissionais devem ser remanejados ou até mesmo desligados da organização.

Sexto passo – Gerar vitórias "rápidas"

Vitórias "rápidas" ou de curto prazo (as famosas "*quick wins*") são aquelas situações que mostram que a mudança está trazendo resultados positivos muito antes do resultado final da implementação da mudança. Em algumas mudanças, os efeitos positivos podem demorar meses ou até anos para aparecer, por isso é fundamental que as pessoas vejam ganhos, mesmo que intermediários, o mais depressa possível para se manter motivadas com todo o processo de mudança. Esses ganhos devem ser visíveis e inequívocos e estar claramente relacionados com o esforço de mudança. Essas vitórias fornecem provas de que os sacrifícios das pessoas não são em vão. Isso aumenta o sentido de urgência e o otimismo de quem está se esforçando para mudar.

Sétimo passo – Não se acomode

Mesmo tendo alcançado sucesso na fase inicial do processo, não pense que está tudo resolvido. Basta se descuidar um pouco para que o processo seja vencido pela força da inércia. Por isso é necessário consolidar os ganhos conseguidos e continuar produzindo mudanças. Em vez de declarar vitória e seguir em frente, lance mais projetos para que a mudança comece a se cristalizar na cultura da organização.

Oitavo passo – Consolide a mudança

Novas práticas devem ter raízes profundas, a fim de ser incorporadas na cultura organizacional da empresa. A mudança cultural é a última fase da mudança e a mais definitiva. Para garantir isso, é importante que todo novo funcionário passe por um programa de indução que contenha uma imersão na cultura da empresa. A cultura de uma empresa tem função tanto inclusiva quanto excludente. Ou seja, é possível que algumas pessoas não se adaptem às mudanças e saiam da empresa voluntária ou involuntariamente. Isso faz parte do processo.

Capítulo 8

Seja um líder

No decorrer deste livro, apresentei ideias, sugestões, histórias, pesquisas e conceitos sobre três aspectos de liderança:

1. o que previne alguém de se tornar um líder (os pseudolíderes);

2. como *pensar* como um líder;

3. como *agir* como um líder.

Agora entrarei na última parte, na qual apresentarei os conceitos finais para que você desenvolva o instinto da liderança e *seja* um verdadeiro líder.

Certa vez perguntaram a um maestro o que ele fazia para resolver problemas de desempenho em sua orquestra.

Ele respondeu: "Quando minha orquestra não está desempenhando da maneira que eu gostaria, a primeira coisa que faço é ir até o camarim e me olhar no espelho. Daí me pergunto se posso fazer algo para melhorar o desempenho da orquestra. Depois de ter feito tudo o que está ao meu alcance para resolver a questão, só aí vou ver o que possivelmente pode estar errado com os músicos da orquestra".

Essa breve passagem descreve bem o conceito de *ser* um verdadeiro líder. Da próxima vez que se deparar com um problema de desempenho, faça como o maestro – olhe para si mesmo antes de olhar para seus subordinados.

Para ajudá-lo a diagnosticar um problema de desempenho dos membros de sua equipe, siga os próximos passos que foram adaptados do modelo do doutor Carl Binder, conhecido como Six Boxes. Carl Binder, por sua vez, criou seu sistema a partir do modelo Behavior Engineering Model, de Thomas F. Gilbert, que é conhecido como o pai da tecnologia de desempenho e autor de livros como *Human competence: engineering worthy performance* (John Wiley, 2007).

Esclareça expectativas

Está claro para a pessoa que apresenta problemas de desempenho o que é esperado dela? Muitos gestores partem do pressuposto de que isso é óbvio, mas a verdade é que nem sempre é tão óbvio assim. Por isso, como líder, você tem a responsabilidade de deixar absolutamente claras as expectativas para a função. Então, descreva o que seria a definição de sucesso naquela posição.

Feedback

A pessoa que está com problemas de desempenho tem recebido feedback claro, direto e específico em relação ao que não está ocorrendo bem? Mais uma vez, não se pode partir do pressuposto de que a pessoa sabe o que vai mal. A responsabilidade de dar feedback é do líder. Como já vimos anteriormente, muitos gestores evitam essas conversas ou tentam mantê-las em um nível superficial porque, obviamente, não são tão agradáveis assim. Contudo, lembre-se, se as expectativas não estão claras e você não dá feedback honesto, direto e específico, não pode cobrar alto desempenho dessa pessoa.

Recursos

A pessoa que apresenta problemas de desempenho tem acesso aos recursos necessários para desempenhar aquela função? O melhor flautista do mundo não poderá desempenhar bem sua função se não tiver uma flauta no mínimo decente para tocar. O mesmo se aplica aos colaboradores de uma empresa. Sem os recursos necessários para desempenhar sua função, não adianta apenas esclarecer expectativas e dar feedback. Mais uma vez, você como líder deve se certificar de que a pessoa tem acesso aos recursos necessários para realizar sua função, como sistemas de informação, computadores, manuais, contatos na empresa etc.

Adequação à posição

Depois de as etapas anteriores terem sido checadas, aí sim é hora de pensar se há algum problema com o colaborador. Será que essa pessoa está na posição certa?

O objetivo dessa etapa é verificar se os talentos naturais do funcionário estão alinhados com as demandas da posição que ele ocupa. Uma conversa com o colaborador para entender melhor como ele "funciona" ou até testes de aptidão ou de perfil podem ser usados.

Caso realmente haja incoerência das aptidões com a função do colaborador, deve-se avaliar sua transferência para outra posição ou, se não for possível, tentar readequar o escopo do cargo, levando em consideração essa questão. Caso contrário, por mais duro que pareça, a melhor decisão, tanto para a empresa quanto para o colaborador, é o desligamento, pois, assim, ele poderá encontrar algo em que possa desempenhar um bom trabalho e ser bem--sucedido.

Treinamento e desenvolvimento

Este é o momento de desenvolver qualquer possível *gap* de habilidades que o funcionário possa ter, desde que esteja na posição certa, como foi verificado na etapa anterior. Esses *gaps* podem ser em assuntos técnicos, os chamados *hard skills*, como em habilidades comportamentais, como comunicação interpessoal ou capacidade de influenciar, os chamados *soft skills*. Obviamente, acredito no poder transformador de treinar e desenvolver as pessoas para que atinjam alto desempenho, mas muitos treinamentos falham porque as outras etapas não são consideradas.

Motivação

Finalmente, depois de as cinco etapas anteriores terem sido checadas (e corrigidas, caso necessário), deve-se olhar para a motivação do colaborador. Voltando à minha metáfora do macaco e do peru do começo do livro, mesmo que você tenha um macaco que saiba exatamente quais são as expectativas em relação ao que deve fazer, tenha recebido feedbacks claros em relação ao seu desempenho, tenha acesso aos recursos apropriados para realizar sua função, esteja na posição certa em relação aos seus talentos e tenha sido treinado adequadamente... se o macaco não *quiser* subir na árvore, ou seja, se ele não estiver motivado, ele não subirá na árvore. E se for esse o caso, você já sabe o que fazer para "motivar", ou melhor, ajudá--lo a se automotivar. (Não, colocar uma banana no topo da árvore não seria "motivar" e sim apenas aplicar o KITA positivo, lembra?).

Talvez você esteja pensando consigo mesmo que no dia a dia poucos gestores se darão ao trabalho de investigar tudo isso e provavelmente vão optar por desligar o funcionário da empresa, caso o problema de desempenho permaneça. Não vou negar que essa é, sim, a realidade do dia a dia corporativo. Se, porém, não quiser ser apenas um líder mediano, mas um líder excepcional, não se deixará levar pela inércia do dia a dia e fará o que é certo. Isso me leva a fazer uma ponte com a sétima e última característica que o fará desenvolver o instinto da liderança e *ser* o melhor líder que pode ser: a obstinação.

Obstinação

Uma característica fundamental de qualquer líder bem-sucedido é a obstinação. Todos os grandes líderes da história da humanidade, de Gandhi a Martin Luther King, passando por líderes empresariais como Jack Welch, Jorge Paulo Lemann e Bill Gates, foram obstinados por suas causas ou suas empresas.

Verdadeiros líderes são comprometidos e apaixonados de tal forma pelo que fazem que nenhum obstáculo lhes parece intransponível. Mesmo com seus sucessos, não se tornam complacentes e, quando eventualmente são "derrotados", apresentam humildade para aprender com os erros e seguir adiante. Esses líderes têm um propósito claro do que querem atingir, um "porquê" tão forte que transcende a própria existência.

Um animal que representa essa obstinação no mundo selvagem é, sem dúvida, o tigre. Um tigre, mesmo sendo um felino (que teoricamente não gosta de água), atravessa lagos ou rios para defender seu território ou perseguir uma presa. Um tigre abate animais três vezes mais pesados e mais fortes do que ele como os búfalos, e até enfrentam predadores mais poderosos como leões e crocodilos sem medo da derrota, que às vezes é inevitável... Tigres patrulham o tempo todo seus territórios porque instintivamente "entendem" que, se forem complacentes, perderão o que conquistaram.

Durante toda a minha carreira e mais intensamente nos últimos anos, em virtude de meu trabalho de consultor

170 O líder alfa

e palestrante, pude conviver e observar de perto empresários e líderes bem-sucedidos de nacionalidades, culturas e indústrias bem diferentes. Posso atestar categoricamente que todos eles têm em comum uma incrível obstinação. Essas pessoas não se contentam com o *status quo* e estão sempre buscando maneiras de melhorar a si próprias, suas equipes e suas empresas. Não existem obstáculos intransponíveis para essas pessoas.

Um exemplo de incrível obstinação é a história de Nick Vujicic, que tive o privilégio de conhecer depois de assistir a uma palestra sua nos Estados Unidos. Australiano, filho de imigrantes húngaros, Nick era um bebê diferente da maioria. Inexplicavelmente, Nick nasceu sem braços nem pernas, o que obviamente trouxe desafios inimagináveis em sua vida. Não foi fácil para ele crescer sendo tão diferente das outras crianças.

Nick chegou até a pensar em se matar... mas felizmente desistiu da ideia inspirado pelo amor incondicional de seus pais. Depois de ouvir Nick por apenas vinte minutos, fica relativamente fácil entender como ele superou tantas adversidades e se transformou em um dos autores e palestrantes mais bem-sucedidos da atualidade. O autor do livro *Indomável* (Novo Conceito, 2013) tem um segredo simples: sua obstinação!

Um método para aumentar sua obstinação

- **Tenha disciplina:** falar em disciplina é fácil, mas *ter* disciplina nem tanto. Acredito que o grande problema da maioria das pessoas em se tratando de disciplina é que, em vez de primeiro entender como "funcionam", traçam planos que já começam fadados ao fracasso. "Depois do ano-novo, vou acordar todos os dias às 6 horas da manhã para fazer ginástica." Conseguem acordar às 6 horas da manhã por duas ou três semanas, mas na quarta semana já começam a faltar na academia às segundas-feiras, depois às terças, e logo estão pagando a mensalidade da academia para não ir.

Outro exemplo comum é: "Este ano vou ter disciplina para aprender outro idioma". Começam a fazer aulas de inglês, espanhol ou chinês. Os primeiros dois meses vão muito bem, mas logo começam a faltar às aulas por causa de outros compromissos e, alguns meses depois, acabam parando.

Em *A estratégia do olho de tigre*, menciono o conceito de "períodos áureos". O conceito é simples: períodos áureos são aqueles momentos do dia de maior eficiência e que variam de pessoa para pessoa. Para alguns, seus períodos áureos são pela manhã, para outros à tarde ou à noite ou até de madrugada. Cada um tem o próprio reló-gio biológico. Se o seu período áureo não é pela manhã, você terá poucas chances de manter uma rotina de ginás-tica nesse horário e a mesma lógica se aplica para as aulas de idiomas, e assim por diante.

Certa vez vi uma entrevista de Dan Brown (autor dos best-sellers internacionais *O código Da Vinci* e *Anjos e de-mônios*, entre outros) em que ele dizia que acordava todos os dias às 5 horas da manhã para escrever. Eu, como grande fã, pensei: "É isso! Vou acordar todos os dias nesse horário para escrever meus livros". Não funcionou! O meu "período áureo" para escrever é à noite, não cedo pela manhã. Então, quando começo a escrever um livro, defino minha rotina para escrever todos os dias em algum período da noite. Obviamente, nem sempre consigo escrever à noite, pois acontecem imprevistos, porém a porcentagem de aproveitamento que tenho nesse período é muito maior do que nas minhas "gloriosas" manhãs/madrugadas ten-tando imitar Dan Brown.

O poder da disciplina também aparece em tantos fil-mes de Hollywood. Desde a incansável disciplina de Rocky Balboa em seus treinamentos para as lutas, até o clássico personagem do filme *Forrest Gump*, magistralmente inter-pretado por Tom Hanks, que, mesmo tendo a inteligência

Seja um líder **173**

limitada, conseguiu atingir incríveis façanhas porque era extremamente disciplinado.

- **Aumente sua energia:** automotivação e um forte propósito são os combustíveis para que alguém persiga seus objetivos obstinadamente, porém, o melhor combustível não terá efeito se o motor, ou seja, nosso corpo não estiver funcionando bem. Para aumentar sua energia é necessária uma combinação entre uma rotina de exercícios físicos, alimentação saudável (Não! Alimentos e bebidas *diet* não se qualificam no quesito saudável) e uma boa noite de sono (tanto em quantidade como em qualidade). Alguns estimulantes naturais como pó de guaraná ou mesmo café podem ajudá-lo a aumentar a energia pontualmente, mas jamais poderão substituir a "trindade" exercícios-alimentação-sono.

- **Aprecie o caminho:** às vezes ficamos tão obcecados com o objetivo final que nos esquecemos do caminho que nos levará até lá, o que paradoxalmente diminui nossas chances de atingir o objetivo final. Quando perguntaram a Gandhi qual era o caminho para a felicidade, ele apenas disse: "Não existe um caminho para a felicidade. A felicidade é o caminho".

Os três pintores

Há uma anedota sobre três homens que tinham como tarefa pintar as cercas de suas respectivas casas. Eles cumpriam a pintura tranquilamente, quando, de repente, passou alguém gritando: O mundo está acabando! Corram! Corram!

O primeiro homem imediatamente largou tudo o que estava fazendo e saiu correndo. Já o segundo acelerou os movimentos para acabar a pintura de qualquer jeito e depois também saiu correndo desesperado. O terceiro, por sua vez, continuou pintando a cerca exatamente da mesma maneira que antes de ouvir o aviso. O terceiro homem apreciava o caminho, estava certo de sua missão e, por isso, não se alterou com a notícia. E, no final... o mundo não acabou.

Se pesquisarmos a história da nossa civilização, encontraremos vários exemplos de líderes que representam essa obstinação. Gostaria de relembrar aqui a história de três desses personagens porque essas histórias, em particular, possuem algo que me chama a atenção. No entanto, antes de entrar nessa questão, eis os personagens e um breve reconto de suas histórias:

Francisco Alves Mendes Filho

Exemplo de obstinação inabalável, Chico Mendes nasceu no dia 15 de dezembro de 1944, em Xapuri, no Estado do Acre. Filho de seringueiros, seguiu a profissão do pai a partir dos 9 anos e aprendeu a ler apenas aos 20. Ele lutou pelos seringueiros da Bacia Amazônica, cujos meios de subsistência dependiam da preservação da floresta e suas seringueiras nativas. Chico Mendes entrou em conflito com grandes proprietários de terras e empresários do setor de madeireiras, em defesa de seus ideais.

A partir de 1976, participou ativamente das lutas dos seringueiros para impedir o desmatamento por meio de manifestações pacíficas nas quais os seringueiros protegiam as árvores com o próprio corpo. Mendes era constantemente ameaçado de morte e também sofria vigilância intensa dos órgãos da ditadura vigente na época.

Chico Mendes denunciou o desmatamento e a expulsão de seringueiros de suas terras no Congresso Norte-Americano, o que gerou cortes de investimentos do Banco Internacional em empreitadas em terras amazônicas. Na ocasião, Chico Mendes foi acusado por fazendeiros e políticos locais de "prejudicar o progresso", o que aparentemente não convenceu a opinião pública internacional. Alguns meses depois, recebeu vários prêmios internacionais,

176 O líder alfa

destacando-se o Global 500, oferecido pela ONU, por sua luta em defesa do meio ambiente.

A partir dos efeitos dessas denúncias, as ameaças de morte tornaram-se mais intensas, culminando em seu falecimento no dia 22 de dezembro de 1988, aos 44 anos, assassinado na porta de casa.

Dian Fossey

Dian Fossey foi uma zoóloga norte-americana que nasceu em São Francisco, nos Estados Unidos, em 16 de janeiro de 1932. Tornou-se conhecida pelo seu trabalho científico e de conservação com os gorilas das Montanhas Virunga, em Ruanda e no Congo.

Fossey era a autoridade no estudo de espécies de gorilas ameaçadas de extinção em Ruanda. Ela se formou em terapia ocupacional em 1954, tendo, quase dez anos depois, decidido usar todas as suas economias para ir à África. Depois de chegar à Tanzânia, conheceu Louis Leakey, arqueólogo que a apresentou ao trabalho de Jane Goodall, que pesquisava chimpanzés. Em 1966, Fossey entrou no grupo de Leakey para estudar a interação social nos grupos de gorilas, e continuou essa pesquisa por dezoito anos. Depois de anos de observação, Fossey desenvolveu com os gorilas um relacionamento de confiança. Considerava os animais indivíduos e até deu nomes a eles.

Quando seu gorila favorito, Digit, foi morto para obtenção de suas mãos (com as quais são feitos cinzeiros), Fossey começou uma campanha contra a atividade. Seus discursos, infelizmente, tornaram-na um alvo da violência por parte dos caçadores furtivos e dos elementos corruptos do exército de Ruanda. Em 1985, Dian foi encontrada morta em sua cabana, fruto de um assassinato.

Seu legado mantém-se vivo em várias organizações e sociedades dedicadas a salvar esses primatas da extinção. Graças ao trabalho de Fossey, a consciência do mundo para com a extinção do gorila-das-montanhas aumentou, e os animais são protegidos agora pelo governo ruandês e por várias organizações de conservação internacionais, inclusive o The Dian Fossey Gorilla Fund International.

Rei Leônidas

Leônidas foi um rei espartano que ficou historicamente conhecido por liderar os gregos na batalha de Termópilas para defender a Grécia da invasão persa. Segundo Heródoto, a linha de descendência de Leônidas poderia ser estudada a fim de comprovar o parentesco do rei com o próprio herói mítico, Hércules.

Uma de suas ações mais importantes se deu por ocasião da invasão da Grécia pelos persas, ao defender o desfiladeiro das Termópilas, que une a Tessália à Beócia. Leônidas e uma tropa de apenas 7 mil homens, dos quais apenas 300 eram espartanos, conseguiram repelir os ataques iniciais. Contudo, Xerxes I, rei da Pérsia, foi auxiliado por um pastor local que o conduziu por um caminho que contornava o desfiladeiro e, dessa maneira, pôde cercar o exército de Leônidas. Restavam apenas 300 espartanos e pouco mais de mil soldados tespienses e tebanos, que decidiram resistir até a morte.

Segundo Pausânias, Xerxes ameaçou a precária defesa grega dizendo: "Minhas flechas serão tão numerosas que obscurecerão a luz do Sol". Leônidas respondeu: "Tanto melhor, combateremos à sombra". Mesmo sabendo que provavelmente morreria, Leônidas resolveu ficar e defender seu povo até o fim.

Quando Leônidas e seus homens viram-se cercados por uma quantidade incalculável de inimigos, o rei Xerxes deu uma ordem a ele: "Deponham suas armas e se entreguem". Conta a história que Leônidas respondeu apenas: "Venham pegá-las". Essas foram as últimas palavras do rei espartano.

Além da óbvia obstinação, que tanto Chico Mendes, Dian Fossey e o rei Leônidas demonstraram, o que os levou até a perder a vida lutando por suas causas, o que me chama mais a atenção é a generosidade desses três líderes. Repare que os três poderiam ter optado por uma vida diferente: Chico Mendes poderia ter se beneficiado da sua repentina fama e simplesmente ter se mudado daquela região e ficado quieto depois de ter recebido ameaças de morte. Dian Fossey poderia ter levado uma vida confortável como uma acadêmica respeitada nos Estados Unidos, e até o grande rei Leônidas poderia ter se rendido e continuado com uma vida muito confortável como rei de uma parte do império de Xerxes (essa opção lhe foi oferecida por Xerxes). No entanto, os três optaram por continuar defendendo suas causas, ou seja, a vida de outras pessoas (ou de gorilas, no caso de Diana Fossey) e perderam a própria vida por isso.

Capítulo 9

Generosidade: o verdadeiro instinto da liderança

No começo deste livro, mencionei a história do empresário Konosuke Matsushita, que, por pior que fosse a crise no Japão, decidiu com obstinação que não demitiria um funcionário sequer de sua fábrica. Talvez você tenha pensado que esse é um exemplo isolado que só poderia acontecer em um país com cultura e sabedoria milenares, como o Japão. Não é. Enquanto a grande maioria dos CEOs das maiores empresas do mundo ganham milhões de dólares de remuneração anual (de acordo com a revista *Forbes*, a remuneração anual dos CEOs mais bem pagos do mundo em 2012 variou de 43 a 131 milhões de dólares), Jim Sinegal, ex-CEO da cadeia de supermercados de atacado Costco, uma gigantesca empresa norte-americana que faturou quase 100 bilhões de dólares em 2012, mostrou que comportamentos similares ao de Matsushita

184   O líder alfa

também são possíveis no país que representa o maior império do capitalismo universal – os Estados Unidos.

Durante os anos em que foi CEO do Costco, o salário de Jim permaneceu estável em 350 mil dólares por ano, e o salário de seus colaboradores era em média 42% mais alto do que o do seu principal concorrente, o Sam's Club, do Walmart. Os funcionários do Costco tinham acesso a um bom plano de saúde por um preço mais baixo do que a média do mercado, e no feriado do Dia de Ação de Graças, ao contrário dos outros supermercados, o Costco fechava para que seus funcionários pudessem aproveitar com a família.

Quando a economia norte-americana entrou em recessão, Jim não permitiu que sequer um colaborador fosse demitido (alguma semelhança com a história do Matsushita?). Indo além, Sinegal lutou para dar um pequeno aumento de salário para seus funcionários. Richard Galanti, que era o diretor financeiro da empresa na época, disse em uma entrevista que a primeira coisa que saía da boca de Jim, era: "Nesta economia tão ruim, nós precisamos achar uma maneira de dar mais para os nossos funcionários, não menos". Jim também se preocupava com seus clientes. A margem máxima que ele permitia incluir nos seus produtos era de 15%, independentemente do mercado até permitir uma margem maior.

Bem, talvez você esteja pensando que, com toda essa generosidade, a situação financeira do Costco não devia ser das melhores. Justamente o oposto. Enquanto seus competidores estavam demitindo funcionários e fechando lojas após a recessão, o Costco continuava crescendo em faturamento, e o valor das ações havia mais que dobrado desde 2009.

O rei Salomão, que se tornou famoso por um reinado próspero e longo, e escreveu os Provérbios, ponderou sobre os benefícios da generosidade: "Doe livremente e se torne mais rico; seja avarento e perca tudo". Jim Sinegal criou essa cultura no Costco ao oferecer melhores salários e benefícios aos seus funcionários e produtos de qualidade a preços justos para seus clientes. O Costco se tornou uma das maiores e mais admiradas empresas do mundo.

Se você é um líder experiente ou está apenas começando sua jornada ou, ainda, simplesmente alguém que almeja se tornar um líder, tenha em mente que mais importante do que desenvolver o instinto da liderança é saber usá-lo para tornar sua empresa, sua cidade, seu país, e por fim, nosso mundo um lugar melhor para todos nós.

Agora que você já sabe quais são, e principalmente como aplicar os sete princípios que lhe farão desenvolver o instinto da liderança, não pense que ser um grande líder significa ter todas as respostas e que não se sentirá inseguro em certos momentos da vida. Afinal, você está no caminho para desenvolver o instinto da liderança e não para se tornar um super-herói.

Além disso, jamais conseguirá agradar a todos. No decorrer da sua trajetória como líder, certamente terá de tomar decisões difíceis, que poderão desagradar algumas pessoas e, sendo realista, não importa quão bom líder você seja, sempre haverá alguém que vai discordar. Não se importe com isso, mesmo porque, como o nosso mais célebre dramaturgo, Nelson Rodrigues, dizia: "Toda unanimidade é burra".

Agora é hora de revisar aquela folha em que anotou possíveis características que queria corrigir ou melhorar em sua maneira de liderar e começar a colocar em prática imediatamente o que aprendeu com esta leitura. Adaptando uma frase de Dalai Lama, deixo você com o seguinte pensamento: "Só existem dois dias no ano em que você não pode liderar... ontem e amanhã".

Bibliografia

BENNIS, Warren. *A formação do líder*. São Paulo: Atlas, 1996.

BLANCHARD, Kenneth; JOHNSON, Spencer. *O gerente minuto*. Rio de Janeiro: Record, 2004.

CHARAM, Ram; DROTTER, Stephen; NOEL, James. *Pipeline de liderança*: o desenvolvimento de líderes como diferencial competitivo. Rio de Janeiro: Campus, 2013.

_____; BOSSIDY, Larry. *Execução*: a disciplina para atingir resultados. Rio de Janeiro: Campus, 2004.

COLLINS, Jim. *Empresas feitas para vencer*: porque algumas empresas alcançam a excelência... e outras não. São Paulo: HSM, 2013.

COVEY, Stephen. *A terceira alternativa*: resolvendo os problemas mais difíceis da vida. Rio de Janeiro: Best-Seller, 2012.

DARWIN, Charles. *A origem das espécies*. São Paulo: Hemus, 2013.

GILBERT, Thomas F. *Human Competence: Engineering Worthy Performance*. New Jersey: John Wiley, 2007.

GOLEMAN, Daniel; MCKEE, Annie; BOYATZIS, Richard. *O poder da inteligência emocional*. Rio de Janeiro: Campus, 2002.

GRINBERG, Renato. *A estratégia do olho de tigre*. São Paulo: Gente, 2011.

_____. *O instinto do sucesso*. São Paulo: Gente, 2013.

HERZBERG, Frederick. "One more time: How do you motivate employees". *Harvard Business Review*, Boston, jan. 2003.

KAPLAN, Robert S.; NORTON, David P. *The Strategy Focused Organization*. Boston: Harvard Business School, 2000.

KOTTER, John. *Leading Change*. Rio de Janeiro: Campus, 2013.

_____. *Matsushita, lições de liderança para o próximo milênio*. São Paulo: Makron Books, 1998.

LEONCINI, Patrick. *Os 5 desafios das equipes*: uma fábula sobre liderança. Rio de Janeiro: Campus, 2002.

LEVITT, Theodore. "Miopia em marketing". *Harvard Business Review*, Boston, jul./ago. 1960.

LEWIS, Tom D.; GRAHAM, Gerald. 7 Tips for effective listening. *Harvard Business Review*, 10 março de 2014. Acesso em: 28 de julho de 2014.

MAXWELL, John. *As 21 irrefutáveis leis da liderança*. Rio de Janeiro: Ediouro, 2007.

_____. *O líder 360 graus*. Rio de Janeiro: Ediouro, 2007.

SANDBERG, Sheryl. *Faça acontecer – Mulheres, trabalho e a vontade de liderar*. São Paulo: Companhia das Letras, 2013.

SHARMA, Robin. *O líder sem status, uma parábola*. Campinas: Verus, 2014.

SINEK, Simon. *Por quê? Como grandes investidores inspiram ação*. São Paulo: Saraiva, 2012.

TALEB, Nicholas. *Antifragile*. Londres: Random House, 2013.

ULRICH, David. *O código da liderança*. Rio de Janeiro: Best-Seller, 2009.

VUJICIC, Nick. *Indomável*. Ribeirão Preto: Novo Conceito, 2013.

WEISEMAN, Liz; McKEOWN, Greg. *Multiplicadores*: como os bons líderes valorizam você. Rio de Janeiro: Rocco, 2011.

Este livro foi impresso pela Rettec Gráfica
em papel *norbrite plus* 66,6 g.